제리엠 게임판타지 장편소설
WISHBOOKS GAME FANTASY STORY

힐 통령 7

태양의 사제

Wish Books

힐통령

태양의 사제

CONTENTS

47장
엘프의 마을(2)

예고 없이 숲을 찾아든 정적.

카이는 무대를 마친 가수가 여운을 즐기는 것처럼 그 침묵을 즐겼다.

그는 엘프들과 하나하나 눈을 마주쳐 갔다.

"뭐, 뭐라……?"

"사실이라고?"

"이게 대체 무슨……."

그와 눈을 마주친 엘프들은 하나같이 믿을 수 없다는 표정을 내비쳤다.

카이의 말이 사실이었음을 인지한 것이다.

"당황스럽군, 인간."

카이에게 질문을 던졌던, 가장 지위가 높아 보이는 엘프가 입을 열었다.

"하지만 결과적으로 그대의 말은 모두 옳다. 루나!"

"……치잇."

카이의 뒷덜미를 잡고 있던 여인은 순식간에 단검을 꺼내 그를 구속하던 넝쿨을 잘라냈다.

"사도의 방문은 수백 년만이군. 엘프의 숲을 찾아온 목적이 뭔가?"

"엘프들이 거주하는 마을을 방문하기 위함입니다. 선대가 맡긴 물건이 있다 들었습니다."

"으음……. 성물을 회수해 가기 위함인가."

자신이 사도라는 사실을 알았을 때조차 표정의 변화가 없던 그는, 성물 이야기가 나오자 울적한 표정을 드러냈다.

"본래의 주인이 왔으니…… 어쩔 수 없나."

중얼거리던 그는 카이에게 손을 뻗었다.

"내 이름은 엘두인. 가지. 마을까지 호위해 주겠다. 푸른 역병의 힘에 대해 물어볼 것도 있고."

"예. 그럼 감사히……."

"이익, 전사장이시여!"

루나라 불린 여성이 황급히 엘두인의 앞에 무릎을 꿇으며 그를 불러 세웠다.

"이자가 사도인 것이 확실하다고 하더라도, 아직은 안 됩니다. 성물은 지금 저희의……."

"루나."

짐짓 엄한 표정을 지은 엘두인이 그녀를 나무랐다.

"엘프는 남의 것을 탐하지 않는다. 그렇기에 다른 자들이 우리의 숲을 탐할 때 순수하게 분노할 수 있는 것이다. 잊지 말거라."

"하지만……."

"더 이상의 말은 듣지 않겠다. 일어나시오, 인간."

"예에……."

엘두인의 손을 잡고 자리에서 일어난 카이는 그들과 함께 이동하며 주변을 둘러봤다.

'대체 무슨 일이지? 성물 이야기가 나오자 다들 안색이 굳어졌어.'

한결같이 무뚝뚝하던 엘두인조차 울적한 표정을 지었을 정도니 다른 이들은 어떨까.

'뭐, 가보면 알게 되겠지.'

카이는 엘프들의 호위를 받으며 숲의 중앙 부근으로 들어갔다.

그렇게 한참을 걸어나가던 중, 돌연 무리가 한 자리에 멈춰섰다.

'마을의 입구…… 라기에는 아무것도 없는데.'

그저 커다란 공터가 자리하고 있을 뿐.

카이가 멀뚱멀뚱 눈만 깜빡일 때, 엘두인이 그를 돌아보며 말했다.

"지금부터는 내가 밟는 발자국을 그대로 밟으며 따라오시오. 자칫 실수하면 환영 미궁의 미아가 될지도 모르니, 조심하기를."

"예."

이어서 엘두인이 신기한 발걸음을 선보이며 앞으로 나아갔다.

발자국을 따라가기 급급하던 카이는 어느 순간을 기점으로 주변 풍경이 바뀐 것을 인지했다.

"아……."

저도 모르게 감탄이 흘러나왔다.

그 어떤 미사여구도 없는 순수한 감탄이었다.

'세상에 이런 장소가 있었다니!'

수십 마리의 반딧불이가 사이좋게 떠다니며 마을을 밝혀주고 있었고, 마을의 중앙에는 수천 년은 되어 보이는 거목이 엄청난 굵기의 가지를 뻗어내며 위용을 자랑하고 있었다.

인간의 건축물과는 다른, 지구의 어디에서도 보지 못한 엘프들만의 독특한 집도 눈에 들어왔다.

'나무와 넝쿨을 이용해서 집을 만든 건가? 묘하게 들어가서

자보고 싶다.'

직설적으로 말해서 혼자 보기 아까운 광경이었다.

수백의 선남선녀가 자유롭게 돌아다니는 친환경적 주거 공간!

카이는 유저들이 왜 그토록 엘프의 마을을 찾는지 이해가 되었다.

이 풍경을 자신의 망막에 담고 싶기 때문이리라.

"엘프의 마을, 루테리아에 온 것을 환영한다."

"예. 초대해 주셔서 감사합니다."

"기다려라. 보고하고 올 테니."

엘두인이 몇 명의 전사와 함께 다른 곳으로 훌쩍 떠나자, 카이는 동물원 원숭이 신세가 되었다.

"저게 인간이야?"

"신기하게 생겼어!"

"귀가 작고 둥글둥글하군. 저래서야 소리나 제대로 들을 수 있을까?"

"신체 비율도 조금 어긋나 있는 것 같아요."

"······."

때로는 순수함이 그 무엇보다 치명적인 공격이 되는 법!

카이가 고통스러운 표정을 짓고 있을 때, 주변이 시끄러워졌다.

"여왕님이시다!"

"모두 물러서!"

웅성거림과 함께 카이를 구경하던 엘프들이 한 발자국 뒤로 떨어졌다. 동시에 그를 향해 일련의 무리가 다가왔다.

'우와! 자애롭게 생겼다.'

생판 남인데도 문득 어머니가 떠오르는 자애로운 얼굴.

그러면서도 엘프 본연의 아름다움을 잃지 않았다.

카이는 본능적으로 그녀가 여왕이라는 것을 깨닫고는 한쪽 무릎을 굽히며 인사했다.

"4대 태양의 사제가 엘프 족의 여왕께 인사를 올립니다."

"일어서세요. 사도와 엘프는 맹약을 나눈 친우. 이런 거리가 느껴지는 인사는 옳지 못하답니다."

"배려에 감사드립니다."

카이가 자리에서 일어나자, 여왕은 카이의 얼굴을 빤히 쳐다봤다.

"제 이름은 엘라니아. 엘프 족을 이끄는 유일한 여왕이자 세계수 루테리아의 자녀예요. 당신의 이름은?"

"카이라고 합니다."

"좋아요, 카이. 잠시 몇 가지 질문에 답해줄 수 있나요?"

"기꺼이."

"우선 앉으세요."

엘라니아가 가볍게 손짓하자, 땅에서 바위로 만들어진 의자가 솟아올랐다.

'여, 여기서 대화하자고? 이렇게 공개적인 장소에서?'

무슨 청문회도 아니고!

하지만 카이에게는 선택권이 없었다.

자리에 앉자 엘라니아가 부드러운 목소리로 물었다.

"우선 카이. 당신이 어떻게 태양의 사도가 되었는지 말씀해 주시겠어요?"

카이는 자신이 태양의 사도가 되었던 신전에 대해서 꼼꼼하게 이야기했다.

"사실이군요. 당신은 정말로 헬릭의 사랑을 받는 지상의 대리인, 사도였어요."

"아니, 뭐 사랑까지는…… 아무튼 이것으로 제 정체에 대한 증명은 끝난 겁니까?"

"예. 하지만 아직 질문할 것은 남아 있어요."

엘라니아는 잠시 머뭇거리더니 용기를 내어 질문했다.

"카이. 당신은 며칠 전 숲의 서쪽 공터에서 푸른 역병의 힘을 사용했어요. 맞나요?"

"맞습니다."

어차피 엘프를 상대로는 거짓말이 통하지 않는다.

카이가 당당하게 고개를 끄덕이자, 주변의 엘프들이 동요

했다.

"푸, 푸른 역병의 힘이라면……."

"뮬딘 교의 저주받은 악몽!"

"히이이익!"

"그 힘을 어째서 태양신의 대리인이?"

엘라니아가 손을 들어 그들을 진정시켰다.

"다들 진정하세요. 아직 밝혀진 건 아무것도 없으니까."

이어서 그녀가 설명을 요구하는 눈빛을 보내자, 카이는 태연스럽게 입을 열었다.

"푸른 역병의 아오사. 녀석을 제 손으로 처치했습니다. 덕분에 녀석의 힘을 어느 정도 다룰 수 있게 되었고요."

"……그 아오사를?"

"그렇다면 푸른 악몽은 이제 세상에 없다는 말인가."

"허어, 대단하군."

엘프들은 시시각각 다양한 반응을 보여주었다.

'뭐, 이런 식으로 공개적인 질문을 해주면 나야 고맙지.'

엘프는 거짓이 통하지 않는 존재. 즉, 자신은 꿇릴 것이 없으니 진실만 말하면 될 뿐이다.

"……잘 알겠어요. 그렇군요."

엘라니아는 옅은 한숨을 내쉬며 손짓했다.

"마을을 방문한 건 성물을 받아가기 위함이지요?"

"맞습니다. 엘프들이 보관하고 있는 성물은……."

"성의(聖衣) 니케. 시미즈 님이 즐겨 입으시던 사제복이에요."

"아, 그럼 지금 받아볼 수 있겠습니까?"

"그게……."

엘라니아의 얼굴에 먹구름과 같은 그림자가 드리워졌다.

"성물 회수 시기를 조금만 더 늦춰주시면 안 될까요?"

"……예?"

그녀의 간곡한 표정에 카이가 고개를 갸웃거렸다.

'그러고 보니 성물 얘기가 나올 때마다 엘프들의 표정이 영 수상했어.'

마치 온 세상 근심 걱정을 얼굴에 때려 박은 표정!

"이유를 듣고 판단하겠습니다."

"으음……. 알고 계실지 모르겠지만, 저희 엘프 족은 세계수 루테리아 님의 자녀들이에요."

"아, 마을의 이름과 같군요."

"예. 세계수가 없다면 엘프라는 종족도 존재할 수 없어요. 대부분의 엘프는 세계수의 열매에서 태어나니까요."

'그럼…… 엘프는 일종의 동충하초 같은 건가?'

카이가 고개를 갸웃거렸다.

"열매를 통해 태어난다는 말씀은…… 후천적으로 그, 아이를 가질 수 없다는 소리입니까?"

"생물학적으로 가능은 하지만, 저희는 성욕이 없기 때문에 보통 루테리아 님에게 기도를 올리지요. 그러면 아이를 내려주신답니다."

"헐……."

너무나도 건전한 종족이다.

"그런데 지금 루테리아 님의 상태가 영 좋지 못하답니다."

"무슨 문제라도 있습니까?"

"……모든 건 다크엘프, 그들 때문이에요."

엘라니아가 폐부 깊숙한 곳에서부터 한숨을 내쉬었다.

"다크엘프도 한때는 저희 부족이었던 엘프들이에요. 하지만 천 년 전, 대륙에 마왕이 강림하고 뮬딘 교가 도래하는 악몽이 주기적으로 일어나면서 저희 부족은 분열되었어요."

"분열이라 하면?"

"엘프도 더욱 강한 힘을 손에 넣어야 한다는 과격파가 등장하게 된 것이지요."

"하지만 지금의 엘프들도 강하지 않습니까?"

아인종들의 힘은 대체로 강했다.

카이가 만났던 인어족만 하더라도, 천적인 나가를 상대로 힘을 발휘하지 못했을 뿐. 지나가는 동네 인어들의 레벨만 해도 최소 200을 넘겼으니까.

심지어 인어 족의 왕이었던 카리우스는 레벨만 400이 넘는 거물 중의 거물이었다.

'그리고…… 이 중에서 가장 강해 보이는 엘두인과 여왕도 크게 밀리는 것 같지는 않아.'

한마디로 엘프 족은 지금도 충분히 강하다는 뜻.

하지만 엘라이나는 고개를 흔들었다.

"하지만 대륙을 물들인 어둠의 힘은 항상 저희의 예상을 뛰어넘었어요. 이 정도 힘으로는 그저 발버둥 치는 정도가 고작이었죠."

"그럴 수가……."

대체 얼마나 레벨이 높은 몬스터들이길래?

카이가 덩달아 심각한 표정을 짓자, 그녀가 말을 이었다.

"과격파들은 강력한 힘을 원했어요. 결국 자신의 정체성을 포기한 그들은 세계수와의 관계를 끊었고, 그 대가로 저주받은 피부와 함께 강력한 힘을 손에 넣었지요."

"아, 그래서 피부색이 달랐던 거군요."

"하지만 그들은 저희 온건파를 이해하지 못했어요. 결국 엘프의 숲에서 계속 대립을 하던 중, 다크엘프들이 저희 마을로 침입하는 사건이 발생하게 되었어요."

"그래서 어떻게 되었습니까?"

"그들은 물딘 교에서 건네받은 독을 세계수의 밑동에 뿌렸어요. 덕분에 현재 루테리아 님께서는 모든 활동을 중지한 채 회복에 전념하고 계시지요."

엘라니아의 목소리가 유난히 구슬프게 들렸다.

"지금은 성물의 힘이 그나마 마을의 모습을 감춰주는 결계를 유지해 주고 있지만, 만약 카이 님께서 지금 성물을 회수해 가신다면……."

"결계가 풀린다는 소리로군요."

"이해해 주실 수 있나요?"

톡치면 툭하고 눈물을 쏟아낼 것 같은 커다란 눈망울!

카이는 잠시 그녀를 쳐다보더니 자리에서 일어났다.

"우선 한 번 봐야겠습니다. 태양의 사제가 지닌 힘이라면 루테리아 님을 치료할 방도가 생길지도 모르지요."

"하지만 위험해요. 현재 루테리아 님은 강력한 독을 뿜고 계시기에 다가가는 것만으로도……."

"아, 그 부분은 걱정하지 마십시오."

카이는 어깨와 허리를 쫙 펴며 당당하게 말했다.

"독이라면 제 전문이니까요."

"그럼 엘프를 대표해서 이렇게 부탁드릴게요. 부디 세계수 루테리아 님을 치료해 주세요."

"제 전문입니다. 맡겨주십시오."

당당하게 고개를 끄덕인 카이가 고개를 들었다.

굳이 멀리 보지 않더라도 한눈에 들어오는 거대한 세계수!

"쇠뿔도 단김에 빼라고 했습니다. 바로 가보지요."

카이는 엘프 여왕의 안내를 따라 루테리아의 내부로 들어 가는 길로 이동했다.

"카이님. 저희는 여기까지가 한계랍니다. 더 가까이 가면 독 연에 정신을 잃어버려서……."

"예. 충분합니다."

엘프들을 남겨둔 카이는 천천히 루테리아에게 다가갔다.

마을을 처음 들어왔을 때도 느낀 거지만, 세계수의 위용은 가까이서 보니 더욱 대단했다.

'이게 나무라니…… 웬만한 빌딩만 하잖아.'

그 어떤 문명도 개입되지 않은 자연이 만들어낸 빌딩.

동시에 카이는 엘프 여왕이 왜 그리 경고를 하였는지도 깨 달을 수 있었다.

'아오사 때와 비슷해.'

루테리아의 주변에는 붉은색 안개가 낮게 깔려 있는 상태였 다. 그 독은 카이도 무시할만한 수준이 아니었다.

[포이즌 마스터 스킬의 효과가 발동합니다.]

[포이즌 마스터 스킬로 인해 '아카샤의 심판'에 크게 저항합 니다.]

[초당 2,000의 대미지를 입습니다.]

[체력, 마나, 신성력의 재생 속도가 매우 느려집니다.]

"포이즌 마스터 스킬로 저항을 한 게 이 정도라고?"
깜짝 놀란 카이는 황급히 햇살의 따스함 스킬을 사용했다.

[생명력이 4,000만큼 회복됩니다.]
[아카샤의 심판을 정화했습니다.]
[상태 이상 '중독'이 해제됩니다.]

후우, 안도의 한숨을 내쉰 카이는 짙은 붉은색의 안개를 응시하며 입을 열었다.
"독 분석."

[분석 중…….]
[독에 대한 분석이 완료되었습니다.]

[아카샤의 심판]
등급 : 레전더리
설명 : 뮬딘 교의 암흑 사제들이 지난 천 년간 연구 끝에 완성한 희대의 극독입니다.
공기 중에 살포된 독을 소량 호흡한 것만으로도 치명적인 대미

지를 줍니다. 중독된 상태에서는 모든 종류의 재생 속도가 매우 느려집니다.

　희귀도 : ★★★★★★★

　독성 : ★★★★★★★

"헉!"

독을 분석한 순간, 카이는 숨이 멎은 듯한 소리를 내었다.

"카이님, 괜찮으신 겁니까? 무리라면 어서 이쪽으로!"

멀찍이 떨어진 엘프 여왕이 그 모습을 보고 걱정을 하자, 카이는 고개를 흔들었다.

"아뇨, 독에 중독되어서 그런 게 아니라……."

눈앞에 떠오른 인터페이스 창을 쳐다보던 카이의 말끝이 흐려졌다.

'독성과 희귀도는 별 다섯 개가 끝이 아니었어? 아니, 그것보다 레전더리 등급의 독이라니?'

뮬딘 교가 천 년 동안 연구를 한 끝에 완성한 극독.

카이는 놀란 가슴을 진정시키는 한편 눈을 빛냈다.

'가만, 레어 등급과 유니크 등급의 독을 감정했을 때도 분명…….'

감정 스킬의 숙련도가 올랐었다.

그렇다면 레전더리 등급의 독을 분석한 지금은?

의문은 빠르게 해소되었다.

[전설적인 독을 분석했습니다!]
[감정 스킬의 숙련도가 대폭 상승합니다.]
[감정 스킬이 고급 1레벨로 상승합니다.]

흐뭇.

카이는 올라가는 입꼬리를 막지 않으며 고개를 끄덕였다.

'중급 9레벨에서 절대 올라가지 않던 숙련도 문제가 이렇게 단번에 해결될 줄이야.'

이를 두고 누이 좋고 매부 좋고, 동서 좋고 처남 좋다고 하는 것이 아니겠는가!

'이걸로 성물도 감정할 수 있게 되었어. 하지만 지금은……'

먼저 해야 할 일이 있었다.

카이는 거대한 세계수, 루테리아의 내부로 향하는 문을 그대로 통과했다.

루테리아의 내부는 그리 크지 않았다.

오히려 좁디좁은 복도 하나만이 존재하고 있었기에 길을 찾는 것도 어렵지는 않았다.

"그런데 이상하네."

카이의 눈매가 좁혀졌다.

'최초의 방문자 칭호가 왜 뜨질 않지?'

인어들의 마을인 아쿠아베라를 방문했을 때는 즉각적으로 떠올랐다.

하지만 엘프의 마을에 처음 들어왔을 때는 칭호가 생기지 않았다.

'그래서 나름대로 가설도 만들어봤는데……'

엘프의 마을 이름이 루테리아라는 점.

그리고 세계수의 이름도 루테리아라는 것을 미루어보아, 세계수의 내부로 들어오면 칭호가 생겨날 줄 알았다.

'그런데 아직도 안 생긴다라…… 혹시 나 말고 다른 유저가 방문한 적이 있나?'

이 부분은 나가면 반드시 물어봐야겠다.

그렇게 생각한 카이는 천천히 복도를 걸어나갔다.

"……이게 뭐지? 제단이랑 화분?"

복도의 끝에 위치해 있는 건 화려한 제단과 그 앞에 놓여져 있는 자그마한 화분이었다.

그 화분 속에는 신기한 식물 하나가 놓여져 있었다.

"만드라고라? 아니, 인삼인가? 뭐야 이거."

마치 사람처럼 팔다리가 있는 작고 귀여운 나무였다.

카이는 부드럽고 질 좋은 모래를 침대 삼아 누워있는 녀석을 빤히 쳐다봤다.

'그런데…… 왜 이렇게 아파 보여? 좀 있으면 말라비틀어질 것 같은데…….'

고개를 갸웃거린 카이는 곧장 감정 스킬을 사용했다.

띠링!

[세계수 루테리아]

등급 : 레전더리

설명 : 창조신이 숲을 관리하라는 명과 함께 만들어냈다는 숲의 수호신.

현재는 치명적인 독에 중독되어 자아를 봉인하고 휴식에 전념하는 중이다.

[전설적인 창조물입니다. 마스터 레벨의 감정 스킬이 필요합니다.]

"……"

카이가 벙찐 표정을 지었다.

"이, 이게 루테리아라고?"

그 질문에 대한 답은 메시지창이 보여주었다.

[스페셜 칭호, '루테리아와 만난 자'를 획득했습니다.]

[루테리아와 만난 자]

[등급 : 스페셜]

[내용 : 최초로 세계수 루테리아와 만난 이에게 주는 칭호.]

[효과]

모든 스탯 +10

자연친화력 +50

(이 효과는 칭호를 착용하지 않아도 적용됩니다.)

"⋯⋯세계수 맞네."

웃어야 할지, 울어야 할지 갈피를 잡지 못한 카이는 애매한 표정을 지었다.

'아무튼 내 가설이 틀린 건 아니었어.'

루테리아야말로 엘프들의 삶, 그 자체라는 것.

"자연친화력이 뭔지 모르겠지만, 올라서 나쁠 건 없지."

가볍게 고개를 끄덕인 카이는 주변을 돌아보았다.

'이 녀석이 루테리아라는 건⋯⋯.'

지금 자신이 들어와 있는 이 거대한 나무는?

족히 수천 년은 되어 보이는 듯한, 보는 것만으로도 자연의 위대함을 느끼게 해준 이 나무는, 그냥 커다란 나무에 불과하다는 뜻이다.

카이는 다시 한번 인삼…… 아니, 세계수 루테리아를 내려다봤다.

"……."

나무인데도 불구하고 눈과 입이 달려 있는 이상한 녀석. 물론 그 모습이 괴물같고 무섭다기보다는 귀엽고 깜찍했다.

"세계수 루테리아가 이렇게 작았다니…… 아! 그렇다면 혹시 이 장소는?"

카이는 엘라니아가 해줬던 말을 상기했다.

'분명히 아이를 원할 때 기도를 올린다고 했지.'

설마 이 장소가 기도를 올리는 제단이었던 건가?

생각지도 못한 상황에 피식 웃음을 터뜨린 카이는 사제복의 소매를 걷어붙였다.

"뭐, 잘 됐어. 이 큰 나무를 언제 다 정화할지 고민했는데……."

루테리아가 이렇게 조그마한 나무라면 오히려 다행이다.

카이의 두 손이 즉시 밝은 빛을 뿜어내기 시작했다.

"햇살의 따스함!"

우우우웅.

태양교의 신성력이 루테리아의 몸을 감싸 안았다.

보기만해도 광합성이 잘될 것만 같은 모습이었다.

효과는 금세 나타났다.

[아카샤의 심판이 정화되었습니다. 1%…….]

[아카샤의 심판이 정화되었습니다. 2%…….]

…….

단번에 끝나는 것이 아니라, 독을 모두 정화할 때까지 이루어진 힐링 샤워. 오랜 시간이 지나지 않아 카이는 자신이 원하던 문구를 볼 수 있었다.

[아카샤의 심판이 정화되었습니다. 100%…….]

[아카샤의 심판이 모두 정화되었습니다.]

[세계수 루테리아의 회복이 끝났습니다. 가라앉아 있던 그의 의식이 수면 위로 떠오릅니다.]

-우웅……!

인삼, 아니 루테리아가 기지개를 펴면서 상체를 들어 올렸다. 녀석은 까만색 눈동자를 말똥말똥하게 뜨더니, 제자리에서 당당하게 일어나 카이를 쳐다보았다.

-그대인가! 나의 치료를 도와준 이가!

"그래…… 아니, 예……."

-정말 고맙구나. 나는 세계수 루테리아. 숲의 수호신이며 엘프들의 어버이다.

"제 이름은 카이입니다. 몸은 완전히 괜찮아지신 겁니까?"

-음! 이제 다시 내 아이들을 보살펴 줄 수 있겠구나. 정말 다행스러운 일이야.

마치 어린아이가 아버지의 말투를 흉내를 내는 듯한 모습.

카이는 웃음이 터져 나오려는 것을 억지로 참을 수밖에 없었다.

-그런데 지금 보니 매우 익숙한 기운을 품고 있군. 그대, 혹시 사도인가?

"예. 다시 한번 인사드리지요. 4대째 태양의 사제, 카이입니다."

-음, 역시 그렇군! 사도들에게는 항상 도움을 받게 되는구나.

잠시 무언가를 고민하던 루테리아는 엄지손가락만 한 고개를 끄덕거리며 입을 열었다.

-생명의 은인 카이여. 역대 사도들이 그랬듯 그대 또한 나의 친우로 인정하겠다. 나의 친우가 되는 이 순간부터 그대는 자연의 사랑을 받게 될 것이며, 숲에서만큼은 그대를 해할 수 있는 존재가 없을 것이다.

"그게 무슨……."

카이가 커다란 눈을 깜빡이는 순간, 폭포수와도 같은 메시지창이 그의 시야를 어지럽혔다.

　띠링!

　[스페셜 칭호, '세계수의 친구'를 획득했습니다.]

　[동화 속에나 나오는 전설적인 존재, 루테리아를 완벽하게 치료했습니다.]

　[스페셜 칭호, '전설의 치료사'를 획득했습니다.]

　[루테리아가 완벽하게 회복함으로써 엘프족의 앞날이 밝아졌습니다.]

　[메인 에피소드 : '시들어버린 세계수와 타락한 엘프' 퀘스트의 발동 조건이 소멸했습니다.]

　['시들어버린 세계수와 타락한 엘프' 에피소드가 소멸됩니다.]

　[관련된 하위 퀘스트 1,712개가 소멸됩니다.]

　[태양신 헬릭이 박장대소하며 당신을 칭찬합니다.]

　[선행 스탯이 20 상승합니다.]

　[레벨이 올랐습니다.]

　[레벨이 올랐습니다.]

　……

　[스탯 포인트를 30개 획득합니다.]

　[태양교의 공헌도가 큰 폭으로 증가합니다.]

[당신을 향한 뮬딘 교의 적대감이 매우 크게 상승합니다.]

[뮬딘 교의 대주교와 이단심판관들이 이 사건에 대해 크게 불쾌해합니다.]

[앞으로 뮬딘 교의 사신들이 당신을 방문하게 될 것입니다. 한시라도 마음을 놓지 마십시오.]

"이, 이게 무슨……."

말 그대로 정신을 쏙 빼놓는 엄청난 양의 메시지들. 그것을 읽어 내리는 데만 1분이라는 시간이 걸릴 정도였다.

물론, 단순히 읽는 것과 이해는 또 다른 영역의 문제였다.

'또? 내가 또 에피소드 퀘스트를 삭제했다고?'

이쯤되니 강심장인 카이조차 살포시 걱정될 정도.

'……이제 내가 소멸시킨 퀘스트만 3천 개가 넘지?'

그 퀘스트들을 만들기 위해 개발자와 라무스가 얼마나 일을 했을지. 등골이 싸늘해진 카이였지만, 그는 떳떳했다.

'아니, 그럼 눈앞에서 죽어가는데 그냥 죽게 놔둬? 나 사제인데?'

듣는 이로 하여금 할 말을 없게 만드는 완벽한 논리. 자신의 정당성을 확립한 카이는 반짝이는 눈으로 메시지들의 내용을 검토했다.

'스페셜 칭호 두 개. 선행 스탯 20개, 레벨은 여섯 개가 올랐

고…… 명성이 5천?'

만면에 미소를 가득 띤 카이였지만, 그 웃음은 오래가지 않았다.

'그나저나 퓰딘 교와 관련된 문장들이 신경 쓰이네.'

자신이 얼마나 밉고 불쾌했으면 암살자까지 보내려 할까.

'루테리아를 치료한 게 나인 건 또 어떻게 알고……!'

유저에게 압도적으로 불리한 쓰레기 같은 시스템.

하지만 지금의 카이에게 퓰딘 교의 사신은 뒷전이었다.

'나에겐 스페셜 칭호가 있어. 그것도 두 개나 있지.'

초롱초롱한 눈빛을 띄운 그는 생일 선물의 포장지를 뜯는 아이처럼, 칭호 도감을 펼쳤다.

[세계수의 친구]

[등급 : 스페셜]

[내용 : 세계수 루테리아의 친구가 된 이에게 주는 칭호.]

[효과]

모든 스탯 +10

자연친화력 +150

엘프들을 상대로 위엄 효과가 세 배로 적용됩니다.

[전설의 치료사]

[등급 : 스페셜]

[내용 : 전설적인 존재를 치료한 이에게 주는 칭호.]

[효과]

모든 스탯 +15

치료 스킬의 효과 30% 증가.

하나같이 입이 쩍 벌어지는 효과의 칭호들이었다.

애초에 스페셜 등급의 칭호인 이상 꽝이 있기는 쉽지 않았지만, 이번에 획득한 칭호들은 확실히 스페셜 칭호들 중에서도 효과가 좋았다.

'엘프의 마을…… 인어들의 왕국에서처럼 고생을 한 것도 아닌데 그보다 더한 보상을 받을 줄이야.'

그 사실이 무엇보다도 마음에 든 카이는 루테리아를 향해 방긋 웃었다.

"루테리아 님, 행한 행동에 비해 과분한 보상을 주셔서 감사합니다."

"친우 사이에 말투가 너무 딱딱한 것 아닌가? 말을 편하게 하지 그러나."

"하하, 제가 어찌 세계수 님을 상대로……."

"그리고 그 보상들은 일종의 선금 개념이라 보는 것이 옳을 것이다. 그대는 지금부터 뮬딘 교와의 전쟁을 준비해야 하니까."

"내가 잘못 들어서 그런데, 지금 뭐라고?"

아주 자연스럽게 흘러나오는 반말에 루테리아는 흔히 말하는 뒷짐을 지는 자세를 취하더니 고개를 끄덕였다.

"숲의 지배력을 되찾은 지금. 나는 확실히 느낄 수 있다. 뮬딘 교 녀석들이 다크엘프들의 마을에 들어와 있다는 것을."

"세계수의 힘으로 쫓아내는 건?"

"그렇게 쉽게 해결할 수 있었다면 내가 기습을 받아 중독되는 일도 없었겠지."

"아, 하긴……."

하지만 전쟁이라니? 그것도 다른 사람도 아닌 내가?

마치 군대 갈 생각도 없는데 영장이 발부된 기분.

"갑자기 뮬딘 교와의 전쟁이라니 조금 당황스럽네. 숲에 위치한 이들만 몰아내면 되는 건가?"

"그뿐만이 아니다. 그들의 군대가 오고 있어. 본래라면 나의 힘을 빼앗고, 내 아이들을 타락시켜 지배력을 확보할 생각이었겠지."

"아?"

루테리아의 말을 듣던 카이는 지나간 시스템 로그를 다시 한번 읽어보았다.

'시들어 버린 세계수와 타락한 엘프들.'

한마디로 세계수가 시들어버리고, 그들의 힘을 취한 뮬딘 교가 엘프들을 모두 다크엘프로 만든다는 것이 원래의 시나리오였을 것이다.

'훗. 시나리오 쓰고 있네. 뮬딘 새끼가.'

이미 그러한 미래는 카이의 손에 의해 흔적도 없이 사라진 상태.

하지만 그 때문에 전쟁을 불가피하다.

카이는 루테리아의 말뜻을 이해했다.

"하지만 아무리 그래도 나 혼자서는 뮬딘 교를……."

"그래서 그대를 나의 친우라 부르는 것 아니겠는가? 나의 친우인 그대를 무시할 엘프는 한 명도 없을 걸세."

"아……!"

엘프들에게 위엄 스탯이 세 배로 적용되는 세계수의 친구 효과. 그 효과라면 확실히 엘프들을 다루는 데 모자람이 없을 것이다.

'이거…… 그럼, 말 그대로 나보고 전쟁을 지휘하라는 것 같은데?'

꿈에도 생각지 못한 엄청난 스케일의 전투.

카이는 식은땀이 흘러내릴 정도의 팽팽한 긴장감 속에서 침을 꿀꺽 삼켰다.

'아니, 오히려 이게 기회일 수도 있어.'

유저가 NPC들을 이끌고 다른 세력과 전쟁을 한다?

그건 여태껏 그 어떤 유저도 이루지 못했던 위업이다.

기껏해야 귀족의 말단 병사로 전쟁에 참여하는 것이 전부였다. 그 보상이 어느 정도일지는 감히 상상도 안 될 지경이었다.

"뮬딘 교 녀석들이 이곳까지 도착하는데 얼마 정도의 시간이 걸리지?"

"길어야 3주. 하지만 가급적 숲에 들어오기 전에 결판을 내줬으면 좋겠군……."

"노력할게."

카이의 입장에서는 숲에서 싸우는 것이 더욱 효율적이다.

그래야 엘프들의 특성을 살려서 전투를 하기 쉬우니까.

'하지만 이건 전쟁이야. 기껏해야 몇백 명의 유저와 싸우던 검은 벌 때와는 이야기가 달라.'

그때만 해도 스팅과 설은영의 머리싸움에 기가 다 질렸던 카이였다.

그런데 이제는 그러한 지휘를 자신이 직접 해야 하다니?

카이의 눈빛이 반짝였다.

'공부, 공부만이 살길이다!'

모르는 것은 배우고, 아무리 적이라도 배울 점은 배우는 카이.

간만에 학구열을 활활 태우고 있는 그에게, 루테리아가 말했다.

"친우여. 나를 밖으로 데려가 주게. 스스로 이 나무를 걸어 나가려면 족히 한나절은 걸려서……."

"기꺼이."

루테리아를 제 손바닥에 올린 카이는 천천히 거대한 나무, 짝퉁 루테리아를 나섰다.

입구를 나서자 기다리던 엘프들의 안색이 밝아졌다.

"엇! 붉은 독연이 점점 사라져 간다!"

"주변의 나무와 새싹들이 고통 어린 신음을 내뱉지 않아요!"

"저기 봐, 인간이 나왔다!"

"잠깐만, 인간의 손바닥 위에는…… 루테리아 님!"

"어버이시여!"

한바탕 뒤집어진 엘프 일족!

엘프 여왕은 사색이 된 표정으로 달려와 무릎을 꿇었다.

그와 동시에 모두 무릎을 꿇는, 물경 천에 가까운 엘프들.

"어버이시여. 저희의 미흡함을 꾸짖어주십시오."

"나의 딸아. 고개를 들어라. 이번 사건은 너희의 잘못이 아닌, 탐욕에 눈이 먼 자들이 행한 잘못이다."

"하지만……."

"여기 있는 나의 친우, 카이의 덕분에 몸은 완벽히 치료했으니 더 이상 그 문제를 입 밖에 내지 말거라."

루테리아의 말이 끝나자 잠시 마을에 정적이 흘렀다.

그러기를 잠시, 모든 엘프들이 비명을 터뜨렸다.

"에에에에?"

"치, 친우라고?"

"드래곤들조차 한 수 접어주는 세계수 님이 한낱 인간이랑?"

"그렇다는 말은……."

"엣헴."

카이는 경악한 눈으로 자신을 쳐다보는 엘프들을 향해 눈웃음을 지었다.

"오늘부터 루테리아의 베프인 카이라고 합니다. 잘 부탁드려요."

엘프의 마을에서 축제가 벌어졌다. 그들의 어버이자 존재의의인 루테리아의 회복을 축하하는 축제였다.

"……라고는 해도, 내가 생각한 축제와는 다르네."

춤과 노래는 없었다. 그저 잔잔한 분위기에서 서로 맛있는 음식과 음료를 마시며 이야기를 나눌 뿐.

그것이 고지식한 엘프들의 축제 방식.

게다가 채식 위주인 엘프들의 식단은 고기를 좋아하는 카이와는 맞지 않았다.

'뭐, 맛은 있지만.'

엘프들이 직접 키운 과일과 채소는 고기의 맛에 뒤지지 않을 정도로 훌륭한 음식이었다.

카이가 서로 웃고 떠들며 대화를 나누는 엘프들을 바라보기를 잠시, 누군가 그에게 다가왔다.

"카이 님."

"아, 상병 엘프."

눈밑에 노란색 줄무늬가 세 개나 그려진 엘프들의 전사장, 엘두인이었다.

그는 생소한 칭호에 고개를 갸웃거리더니 입을 열었다.

"상병……. 영문 모를 소리로군요. 이 아이와 함께 드릴 말씀이 있어서 찾아왔습니다."

엘두인은 세계수의 친구가 된 카이에게 꼬박꼬박 존댓말을 사용했다.

그럴 필요가 없다고 해도, 그것이 규칙이라며 절대 자신의 의지를 굽히지 않는 고집불통.

그런 그의 뒤에서 루나가 슬며시 모습을 드러냈다.

그녀가 우물쭈물하더니 엘두인을 간절한 표정으로 올려다보자, 꾸중이 이어졌다.

"쓰읍. 루나."

"으으, 저도 안다구요."

애처로운 표정을 지은 그녀는 카이의 눈치를 힐긋힐긋 살피더니 고개를 푹 숙이며, 기어가는 목소리로 말했다.

"죄, 죄송……. 그리고 감사합……."

"루나! 사과할 때는 제대로! 상대방이 잘 들을 수 있도록!"

"……공격해서 미안해요! 그리고 루테리아 님을 구해주서서 감사해요!"

속사포처럼 사과와 감사의 인사를 건넨 그녀는 두 손으로 얼굴을 감싸며 달아나 버렸다.

우샤인 볼트와도 자웅을 겨룰만한 육상 실력! 그 모습을 안타까운 표정으로 보던 엘두인이 혀를 차며 고개를 숙였다.

"저 아이를 대신해서 사과드리겠습니다. 아까 무례를 범한 것. 용서해 주시길."

"아니, 나야 이제 다 잊었는데…… 그 말투만 좀 어떻게 해 주면 고맙겠지만."

"안 됩니다. 루테리아 님은 저희의 신과 같은 분. 그분의 친 우라면……."

적응이 안 되는 건 여전하지만, 뭐 어쩌겠는가. 본인이 그러고 싶다는데.

어깨를 으쓱거린 카이는 엘프들이 빚은 포도주를 홀짝이며 물었다.

"루테리아는 조만간 전쟁이 일어날 거라 했어."

"그 내용은 이미 전달받았습니다. 저희 엘프 족의 전사는 카이 님의 날카로운 창이 되어 간악한 뮬딘 교를 상대하겠습니다."

"……하지만 엘프들의 수는 많지 않지."

일족 전체가 천 명이 겨우 넘어가는 정도다. 하물며 이제는 현역이 아닌 노인 엘프도 있고, 아직 다 자라지 않은 아이들도 있다.

"……그래도 엘프는 남녀 모두 전투를 치를 수 있는 이들입니다. 전사들의 수는 그 전체 인구수의 절반 이상인 700여 명. 결코 작지는 않을 것입니다."

"하지만 숫자라는 건 언제나 상대적인 거지. 뮬딘 교에서 과연 몇 명이나 끌고 올지가 관건이야."

"적이 몇 명이라 하더라도, 정의를 수호하는 엘프들이 겁에 질릴 일은 없을 겁니다."

"그렇다면 고맙고."

빙긋 미소를 지어 보인 카이는 엘두인을 돌려보낸 뒤, 혼자서 심각하게 고민했다.

'……아니, 이건 아무리 생각해도 말이 안 돼.'

애초에 시나리오 상 엘프 족은 멸망해야 하는 이들이다. 당연히 이 시점에서 뮬딘 교를 상대로 전쟁을 할 수 있는 유저가 있을 턱이 없다.

하지만 카이는 이미 그들에게 희망을 주입한 상태. 여기서 힘들 것 같다고 나 몰라라 도망칠 수는 없는 일이었다.

'준비. 단단히 해야겠어.'

마을의 신비로움을 더해주는 무지개색의 반딧불들을 쳐다보며, 카이는 다짐했다.

"카이 님, 선대의 사도가 맡겨두었던 의복을 받으세요."

"이것이 니케……."

카이는 말로 형용할 수 없는 표정을 지으며 엘라니아의 손 위에 들린 의복을 바라봤다.

온통 하얀색으로 이루어져 있는 의복. 알 수 없는 재질의 천 옷은 마치 폭포처럼 계속해서 일렁이고 있었다.

그저 보는 것만으로도 신비로움을 자아내는 분위기였다.

"이 물건을 즐겨 쓰시던 시미즈 님에게는 수호라는 별명이 붙어 있었지요."

"수호?"

"예. 시미즈 님은 이 의복의 힘을 빌려 모든 아군의 힘을 강력하게 만드는데 특화된 존재라고 들었어요."

"그 말은……."

이 성물에는 버프 스킬이 탑재되어 있다는 소리.

눈을 반짝인 카이는 길게 끌 것 없이 의복을 건네받으며 중얼거렸다.

"아이템 감정."

[성의(聖衣) 니케]

등급 : 이터널 레전더리

방어력 1415

마법 방어력 1841

체력 +30

신성 +70

위엄 +20

악마, 언데드에게 주는 피해 +30%

신성력 재생 속도 +150%

착용 제한 : 레벨 200, 태양의 사제 클래스.

내구도 ∞

설명 : 수호의 시미즈가 즐겨 입던 사제복이다.

최고위급 주교의 신성력이 의복에 깃들어 있어 신성력 회복에 큰 도움이 된다.

[특수 효과]

내구도 감소 무시.

스킬 '천사들의 찬가' 사용 가능.

시미즈의 사념과 대화 가능.

이 장비는 착용자와 함께 성장하는 장비입니다.

"오, 오오오오……."

다른 건 아무것도 필요 없었다. 아이템 등급이 레전더리였으니까. 카이는 전율을 느끼며 몸을 부르르 떨었다.

'레, 레전더리 아이템!'

태양의 사제로 전직을 할 때 봤던 석상이나, 아카샤의 심판 같은 독을 제외하고 자신이 착용할 수 있는 아이템, 아니, 유저가 착용할 수 있는 최초의 레전더리 아이템.

하지만 카이는 곧장 그 앞에 붙어 있는 수식어를 보며 고개를 갸웃거렸다.

'잠깐만, 이터널 레전더리는 또 뭐야?'

물론 의문이 해소되는 데는 오랜 시간이 걸리지 않았다.

"……장비가 성장한다고?"

휘둥그렇게 떠진 카이의 눈은 작아질 줄을 몰랐다.

한 마디로 이 아이템 하나만 있으면, 특별한 경우가 아닌 이상 게임이 서비스 종료될 때까지 다른 아이템을 얻지 않아도 된다는 소리.

'물론 지금이야 레벨 제한으로 착용할 수는 없지만…….'

만약 착용만 한다면 또 하나의 스페셜 칭호는 당연한 것.

게다가 현재 카이 수준의 스탯이라면, 200레벨 중반까지는 미친 듯한 속도로 올라갈 수 있었다. 다른 짓을 하고 싶은 마음을 꾹 참고 사냥에 전념할 수 있는 집중력만 있다면 말이다.

'의복은 대박이야. 더 좋은 아이템을 난 본 적이 없어.'

레전더리만으로도 대단한데, 이터널 레전더리라니?

카이는 생각난 김에 인벤토리에서 또 하나의 성물을 꺼내 들었다.

반짝반짝!

인어들이 보관하고 있던 성환.

"아이템 감정."

[성환(聖環) 페트라]

등급 : 이터널 레전더리

공격력 30

주문력 30

방어력 450

마법 방어력 500

체력 +15

지능 +30

신성 +50

착용 제한 : 레벨 200, 태양의 사제 클래스.

내구도 ∞

설명 : 안식의 체란티아가 항상 손가락에 끼고 다니던 반지이다. 교주였던 체란티아의 반지를 착용하는 것만으로도 태양교의 NPC들에게 존경을 받을 수 있다.

[특수 효과]

내구도 감소 무시.

악마, 언데드에게 주는 피해 +20%

신성력을 소모하는 모든 스킬의 효과 +30%

스킬 '영원한 안식' 사용 가능.

체란티아의 사념과 대화 가능.

이 장비는 착용자와 함께 성장하는 장비입니다.

"역시."

역대 태양의 사제들이 사용했다는 성물들은 모두 이터널 레전더리 등급인 모양이다.

'이제 드워프들이 가지고 있는 패트릭의 무기. 성검 프리우스만 손에 넣을 수 있다면……'

솔플을 하면서 이따금 막연히 그려왔던 솔로 플레잉의 끝. 게임을 독보군림하는 것조차 가능해진다.

'……재미있네.'

두 성물을 곱게 인벤토리에 보관한 카이는 엘라니아와 루테리아, 두 사람을 쳐다봤다.

　"출범식은 보름 정도 후에 하지요. 다녀올 곳이 있어서."

　-벗이여, 이토록 불안정한 상황에서 무엇을 하기 위해 떠나
는가?

　루테리아의 질문에 카이는 짤막하게 대꾸했다.

　"……전쟁 준비."

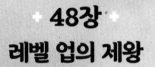

48장
레벨 업의 제왕

"200레벨. 2주 안에 해결해야 할 과제."

엘프의 숲을 나서는 카이의 눈은 어느 때보다도 밝게 빛나고 있었다.

시미즈와 체란티아가 남긴 성물들, 그것을 착용하기 위한 최소한의 조건이 바로 200레벨이었기 때문이다.

'하긴, 그동안 스탯에 비해선 레벨이 낮았지.'

딱히 게으름을 피웠던 것은 아니다. 다만 이리 치이고 저리 치인다고 사냥에 집중할 시간이 없었을 뿐.

'우선 현재의 내 레벨이⋯⋯.'

카이는 오랜만에 스탯 창을 불러냈다.

[카이]

[직업 : 태양의 사제]

[레벨 : 163]

[칭호 : 신의 대리자]

[생명력 : 39,600]

[신성력 : 64,900]

[능력치]

힘 : 655 / 체력 : 396

지능 : 303 / 민첩 : 301

신성 : 649 / 위엄 : 240

선행 : 183

남은 스탯 : 60

마법 저항력 +70%

자연친화력 +200

모든 공격력 6% 증가

모든 속도 6% 증가

독 저항력 +30

"음. 좋아."

믿기지 않는 스탯들의 향연!

그러고도 남은 스탯은 60여 개나 되었다.

'검은 벌 놈들을 잡으면서 레벨이 올랐고, 이번에 루테리아를 치료하면서도 레벨이 제법 올랐어.'

게다가 새롭게 얻은 두 개의 스페셜 칭호로 인해 모든 스탯들이 확연히 올라갔다.

그 어떤 몬스터가 나온다고 해도 두렵지 않을 정도.

'스탯은…… 우선 절반씩 투자할까.'

카이는 힘을 30, 그리고 신성력을 30 올렸다.

불끈불끈!

"으음. 나는야 힘세고 강한 사제."

몸속에서 터질 듯 꿈틀거리는 올힘 사제의 파워.

하지만 그 강력한 힘으로도 상대할 수 없는 이들이 존재한다.

'풀딘 교 녀석들이 고작 수백 명을 이끌고 오는데 루테리아가 전쟁을 준비해야 한다고 야단법석을 부리진 않을 거야.'

적은 최소 수천 명이라고 가정해야 한다.

그야말로 압도적인 전력 차이.

카이는 잠시 눈을 감고, 그 차이를 메꿀 방법을 떠올렸다.

'어쩔 수 없어. 이쪽도 머릿수를 늘려야 해.'

하지만 어떻게?

일반적인 유저들은 믿을 수 없다. 특히 10대 길드 쪽의 인물들이 스파이로 침투하여 작정하고 방해하면 막을 수단도 없었다.

'그렇다면 유저들은 제외. 천화도…… 일단은 제외.'

한 번 손발은 맞춰봤다고 하나, 그들은 현재 매우 바쁜 나날을 보내고 있었다. 검은 벌이 지배하던 사냥터를 흡수하면서 입장료를 대폭 줄이는 방식으로 민심을 사로잡는 작업을 하는 도중.

'그렇다면 남는 건 NPC들.'

우선 어둠 추적자의 타르달, 그에게 이 상황에 대해 말해주면 지원을 받을 수 있을 것이다.

NPC들이 모험가인 자신의 명령을 들을지는 미지수였지만.

'그리고 다른 하나는 인어들이다.'

하지만 그들은 육지에서는 힘을 쓰지 못한다.

'이 난제를 해결할 방법은…….'

카이의 머리가 빠르게 굴러갔다.

다양한 방법들이 떠오르고, 사라지기를 반복했다.

잠시 후, 생각을 정리한 카이는 지도를 띄웠다.

"지도."

촤아아악!

카이의 두 눈이 라시온 왕국 쪽의 지형을 빠르게 살폈다.

'엘프의 숲. 북쪽으로는 피베즈 산맥이 있고 남쪽으로 한참 내려가면 지그문트 사막이 나와.'

그리고 옆으로는 라시온 왕국 전체를 경유하는 거대한 인공 수로, 수베르 운하가 흐른다.

'이 운하를 바다와 연결할 수만 있다면 인어들의 도움도 받을 수 있어.'

관건은 어떻게 이 운하를 바다와 연결할 것인가이다.

한참이나 골몰히 고민하던 카이의 한쪽 입꼬리가 천천히 말려 올라갔다.

만족할만한 생각이 떠올랐을 때 즐겨 짓는 미소.

'이거 할 만하겠는데?'

카리우스가 말했던 대로, 인어족은 이동을 하지 않은 채 같은 장소에서 거주하는 중이었다.

덕분에 그들을 찾아가는 건 그리 어려운 일이 아니었다.

물론, 숨을 쉬는 건 별개의 문제였지만.

"아니, 이게 누구인가?"

"일족의 영웅!"

"카이 아저씨다!"

반갑게 카이를 맞이하는 인어들!

지느러미를 살랑살랑 흔들며 다가온 그들은 꼬로록, 거품을 내뿜는 카이를 보고서야 마법을 걸어주었다.

"후아……! 역시 물속에서 숨을 참는 건 힘드네요."

"자네는 아가미가 없으니 말일세."

"기별도 없이 어쩐 일인가 그래?"

"카리우스 님을 만나러 왔습니다."

"폐하께서는 집무실에 계시네."

인어들과의 간략한 수다를 마친 카이는 곧장 카리우스를 찾아갔다.

"카이 님?"

"오, 반가운 얼굴이로군."

갑작스러운 카이의 방문에 사이러스와 카리우스가 고개를 갸웃거렸다.

"예, 반갑긴 하지만 조금 당황스럽네요. 갑자기 무슨 일이시지요?"

"나도 조금은 놀랍군."

"염치없지만 카리우스 님에게 부탁드릴 것이 있어서 찾아뵈었습니다."

"흠, 말해보게나."

"사실 지금 막 엘프들과 만나고 오는 길입니다."

"오오! 숲의 파수꾼들!"

카리우스의 안색이 밝아졌다.

"나가들에게 쫓긴다고 그들과 만나지 못한 것도 제법 되는

구만. 그래, 잘들 지내고 있던가?"

"아니요. 그들은 지금 일족의 명운이 걸린 전쟁을 준비하고 있습니다."

진지한 카이의 표정에 두 부자의 표정도 덩달아 굳어졌다.

"전쟁이라니, 설마 상대가 인간인가?"

"아니요. 두 분도 잘 아시리라 믿습니다. 나가들을 흉폭하게 만들었던 장치, 기억하십니까?"

"잊어버릴 리가 없잖습니까! 그것 때문에 저희가 얼마나 고통을 받았는지……."

"설마 그 장치를 설치한 자들과 연관이 있는 건가?"

"예. 그 장치를 설치한 건 다름 아닌 뮬딘 교!"

"허억!"

"뮬딘이라고?"

두 사람이 깜짝 놀란 표정으로 반문했다.

나가들의 산란장을 격퇴할 때만 해도, 카이는 뮬딘 교에 대해 알고 있는 지식이 전무했던 상태. 그 때문에 인어족도 나가와 뮬딘의 연관성에 대해서는 여전히 모르고 있었다.

"그들은 과거 세계연합군의 주축이 되었던 인간과 아인종들. 그들의 재결합을 두려워하고 있습니다."

"으음……. 설마 숲의 파수꾼들도 우리와 비슷한 상황에 처해 있던가?"

"예. 제가 조금만 늦었다면 세계수 루테리아가 죽고, 엘프들이 그들의 지배하에 놓였을 겁니다."

"끔찍하군."

고개를 설레설레 흔든 카리우스는 그 큰 몸집을 앞으로 숙이며 물었다.

"그 전쟁에 우리 인어들도 참여해 달라는 소리인가?"

"예, 그렇습니다."

"숲의 파수꾼과 지하의 예술가들은 우리 일족과는 형제같은 이들! 물론 이를 간과할 수는 없네."

"그렇다면……!"

카이의 얼굴이 밝아지기를 잠시, 카리우스가 말을 이었다.

"하지만 우리 인어들은 지상에서는 그리 큰 힘을 쓰지 못하네. 물속에서라면 이야기가 다르지만……."

"그렇다면 운하라면 어떻겠습니까?"

"음? 운하라면…… 인간들이 인공적으로 파놓은 수로를 말하는 건가?"

카리우스는 잠시 턱을 쓰다듬으며 고민을 하더니, 고개를 끄덕였다.

"굳이 바다여야 할 필요는 없지. 제법 수심이 깊은 물. 그 정도의 무대만 갖춰진다면 우리는 힘을 끌어낼 수 있네."

"그렇다면 그 무대는 제가 만들겠습니다."

그 말에 카리우스는 씨익 웃었다.

"자네에게 분명히 말한 바 있네. 종족은 다를지언정, 자네는 우리 인어족의 형제이자 친우, 가족이라고!"

쿵!

옥좌의 팔걸이를 강하게 내려친 카리우스가 일어나자, 입고 있던 용포가 바닷물에 휘날렸다.

"인어족의 정예 800여 명이 자네와 뜻을 함께할 걸세. 함께 숲의 파수꾼들을 구해보세!"

"도움에 감사드립니다."

첫 번째 조건은 클리어되었다.

한결 마음이 편안해진 카이는 혹시나 하는 마음에 입을 열었다.

"저…… 그런데 기왕 도와주신다면 어떻게 마법의 소라고둥도 안 될까요?"

"안 되네. 우리가 자네를 구하기 위해 떠나면 소라고둥의 힘이 마을을 보호해야 하니까."

"크흐흠."

단호박을 세 개는 먹은 듯한 단호함!

카리우스에게 자세한 일정을 알려주고 대화를 마친 카이는 곧장 바다를 나왔다.

이어서 그가 향한 곳은 타르달의 저택.

"음? 엘프의 숲으로 간다고 하지 않았나?"

"갔었습니다."

카이는 자신의 계획을 설명하면서도 확신했다.

'타르달이라면 분명 대군을 지원해 주겠지.'

어둠 추적자는 뮬딘 교를 대적하는 비밀결사 단체다. 그렇기에 놈들의 꼬리를 잡을 수 있는 이번 전쟁을 절대 무시하진 않을 것이다.

하지만, 타르달은 어두운 표정을 지으며 고개를 흔들었다.

"후우. 하필 이런 때에…… 곤란하네."

"예?"

"군대를 일으키면 추적자 내의 첩자를 통해 그 비밀이 고스란히 뮬딘 교에 흘러갈 걸세."

"지금 어둠 추적자 내부에 첩자가 있다는 말씀이십니까?"

그 어느 곳보다 까다로운 시험을 통해 가입자를 받는 이곳에 배신자가 있다니?

하지만 생각해 보면 그건 당연한 일이었다.

대륙 모든 나라의 황족과 왕족, 고위 귀족들이 모두 한 마음 한뜻을 품는 건 힘든 일이니까.

"두려움에 굴복한 것일 수도, 보상에 매혹당한 것일 수도 있네. 하지만 근래 파견되는 어둠 추적자들의 사망 확률이 급격하게 늘어나고 있어."

"정보가 새고 있다는 소리로군요."

카이의 표정도 덩달아 심각해졌다.

안전하다고 생각한 장소가 사실은 그렇지 않다는 사실이 주는 충격. 게다가 단순히 충격으로 끝날 일이 아니었다.

'타르달의 말이 맞아. 군대가 함께하면 어떤 작전을 세우든, 적들의 귀에 흘러갈 가능성을 배제할 수 없어.'

전쟁에서 전략이란 일종의 가위바위보와도 같다.

서로가 무엇을 낼 것인지 감추는 것이 가장 중요하다.

군대를 어떤 식으로 운용할 것인가에 대한 생각을 읽힌 순간, 그 전쟁은 패배한다.

"끄응……."

카이가 머리를 긁적이며 곤란해하자 타르달이 은근한 목소리로 말했다.

"하지만 어둠 추적자의 입장에서는 이 기회를 놓칠 수도 없는 법일세."

"맞습니다. 하지만 정보가 새어 나간다면야……."

"어둠 추적자 내부의 인사를 차출하면 각국의 인사들에게 보고가 들어가지만, 개인적으로 보내는 건 그렇지 않네."

"……무슨 말씀이십니까?"

"철혈 기사단 하나 정도라면 황제의 명으로 외부 시찰을 보낼 수 있다는 소리네."

"……!"

이건 말 그대로 철혈 기사단을 지원해 주겠다는 뜻.

뜻밖의 희소식에 카이의 표정이 밝아졌다.

'그래. 어중이떠중이 수천 명보다는 철혈 기사단 하나가 나을 수도 있어.'

무엇보다 비밀이 새어 나갈 확률이 거의 사라진다. 어둠 추적자 내부에서 임무를 내리는 것이 아니라, 황제가 직접 자신의 수하들에게 명령을 내리는 것이니까.

게다가 기본적으로 철혈 기사단은 황제 직속의, 황제만을 위해 검을 뽑는 이들이다. 당연히 어둠 추적자와는 비교도 안될 정도로 사상 검증과 신분 확인이 철저히 이루어진다.

'충분해.'

엘프와 인어, 거기에 철혈 기사단까지!

머릿수가 얼마나 차이 날지는 몰라도, 아군의 수준은 최정예군 그 자체였다.

"아차, 그런데 타르달 님. 혹시 이번 전쟁에서 수베르 운하를 좀 사용해도 될까요?"

"수베르 운하? 아아, 전쟁 물자를 보급하기 위함인가?"

멋대로 오해한 타르달은 흔쾌히 고개를 끄덕였다.

"마음껏 사용하게나. 그럼 전쟁 당일을 기준으로 일주일 정도 전부터 수리를 핑계로 운하의 사용금지령을 내리겠네. 폐하께 제안을 드리면 허락해 주실 게야."

타르달의 적극적인 협조를 얻어낸 카이는 지체 없이 텔레포트 게이트로 향했다.

"어디로 가시겠습니까?"

"지그문트 사막으로."

지그문트 사막.

사계절 내내 푹푹 찌는 더위가 함께하는 사냥터.

이곳에는 몬스터도 몬스터지만, 더 강대한 적이 사시사철 존재하고 있었다.

[주변의 온도가 너무 높습니다.]

[모든 능력치가 15% 감소합니다.]

"후우, 더워 미치겠네."

시원한 사제복을 입고 있음에도 땀이 줄줄 흐르는 카이.

게다가 밤이 되면 영하로 급격하게 떨어지는 온도는 맵의 성격 자체를 바꿔버린다.

몬스터뿐만 아니라 더위, 추위와도 싸워야 하는 험지 중의 험지. 그 때문에 지그문트 사막을 찾는 유저의 수는 그리 많지 않았다.

"하지만 힘든 만큼 보상은 짭짤한 법이지."

대형 몬스터. 지그문트 사막에는 주로 대형 몬스터들이 서식했다.

엘프 숲의 트리바고도 덩치가 컸지만 기껏해야 중형.

사막의 포식자들은 적을 해치우기 위해서 엄청난 몸집을 지니고 있었다.

'대형 몬스터들의 특징은 생명력이 더럽게 높다는 점이지.'

그리고 경험치와 재료 아이템도 더럽게 많이 준다는 것.

물론 난이도도 더럽게 어렵다.

이쯤 되면 개발자의 저의를 의심하지 않을 수가 없다.

"이건 뭐, 그냥 대놓고 엿 먹으라고 만든 곳 같은데."

햇살은 따사로운 수준을 넘어 그냥 따가웠다.

지금도 이러할진대, 바다의 폭군 세트를 입는다면 얼마나 더 심해질지.

한숨을 내쉰 카이는 지그문트 사막의 사냥터로 향했다.

푹푹.

발이 푹푹 빠지는 모래 언덕 위에 오르자 주변이 고요해진다.

동시에 시야를 가득 메우는 아찔한 풍경. 세상 전체가 파란색 하늘과 회황색의 모래로 나뉜 것 같은 착각마저 들 정도였다.

카이는 풍경을 보는 순간 깨달았다.

"아! 여기서 오랫동안 사냥하면 우울증에 걸리겠구나."

진지하게 그런 걱정이 들 정도로 고요하고, 삭막한 지역이었다.

유저는커녕 NPC조차 보이지 않는 험지 중의 험지.

하지만 긍정적인 카이는 그 무수한 단점 사이에서도 단 하나의 장점을 찾아냈다.

"빡세게 달리기엔 좋겠어. 사람도 없고."

한 마디로 이 주변의 모든 사냥감은 자신의 것.

장비를 바다의 폭군 세트로 바꾼 그는 펫들을 소환했다.

"강화 소환, 블리자드, 미믹!"

[강화 소환의 효과로 공격력 증가 버프를 획득했습니다.]

[강화 소환의 효과로 체력 재생 속도 증가 버프를 획득했습니다.]

곧장 미믹을 듀라한으로 서임시킨 카이는 블리자드와 미믹에게 명령했다.

"몬스터 좀 끌고 와봐. 우선 한 마리 정도만."

끄덕끄덕. 텅텅텅!

카이의 말을 충실히 따르는 펫들.

사이좋게 떠난 그들은 오래지 않아 돌아왔다.

"아, 이제야 오네."

미소를 짓고 있던 카이가 돌연 고개를 갸웃거리더니, 자신의 눈을 비볐다.

두구구구구구구구!

무언가가 모래 언덕을 그대로 뒤집어 버리면서 다가왔다.

"……쟤네 지금 뭘 데려오는 거야?"

자세히 살펴보니 몬스터를 데려오는 게 아니라, 그냥 쫓기는 중이다.

"젠장, 내 펫은 내가 지켜야지!"

순식간에 검을 뽑아 든 카이는 그대로 모래사장을 달려갔다. 발이 푹푹 빠져서 이동 속도가 크게 줄어들었지만, 그걸 감안해도 빠른 속도다.

"와! 크다, 커!"

"키아아아아악!"

몬스터의 거리가 가까워지자 확실히 알 수 있었다.

블리자드와 미믹의 도발에 걸려든 것은 다름 아닌 자이언트 스콜피온.

[자이언트 스콜피온 LV. 230]

카이와 무려 레벨 차이만 60이 나는 괴물 중의 괴물. 덩치가 얼마나 큰지, 녀석의 집게발 하나가 카이의 몸보다 클 정도였다.

'하지만 아오사보다는 작지.'

그리고 아무리 강해 봐야 필드 보스 몬스터일 터.

자신이 여태껏 겪어온 역경과는 비교도 되지 않는다.

"뒤로 물러나 있어!"

블리자드와 미믹이 서둘러 뒤쪽 언덕에 숨자, 녀석이 포효했다.

"키에에에에엑!"

강자는 강자를 알아보는 법. 자신의 진정한 상대가 카이임을 알아챈 녀석은 빠르게 몸을 숙였다.

동시에 빠른 속도로 날아드는 꼬리의 독침.

"어림없는 공격!"

영체화를 사용해 이를 무시한 카이는 그대로 신성 사슬을 사용했다.

휘리리릭!

사슬을 녀석의 머리에 휘감고는 반동을 이용, 등껍질 위에 착지한 카이.

"영체화 해제!"

몸이 실체를 갖추는 즉시 검을 역수로 잡고 녀석의 등껍질에 박아버렸다.

콰드드드득!

자이언트 스콜피온의 등껍질은 두껍고 단단했지만 카이의 공격력을 버티기에는 부족했다.

"끼에에에에엑!"

단번에 생명력이 20%나 날아가는 자이언트 스콜피온.

두 사람의 레벨 차이를 생각하면 말도 안 되는 공격력이었으나…….

'내 스탯을 생각하면 이게 안 되는 게 더 말이 안 되지.'

동시에 카이의 방어구가 푸른색으로 빛나기 시작했다.

[용맹한 전사 효과가 적용됩니다.]

[일시적으로 모든 스탯이 10 상승합니다.]

[폭군의 분노 효과가 적용됩니다.]

[10분 동안 무기에 수(水)속성이 추가되고, 화염 저항력이 100% 상승합니다.]

[화염 저항력으로 인해 체감 온도가 낮아집니다.]

[능력치가 복구됩니다.]

"나이스!"

바다의 폭군이 지닌 생각지 못한 능력.

하지만 기쁨도 잠시, 크게 휘둘린 전갈의 꼬리가 카이의 옆

면을 후려쳤다.

"크윽!"

카이는 강인한 두 다리로 녀석의 등껍질을 밟은 채, 왼손으로 가드를 올려 대미지를 경감시켰다.

그리고 버틴다!

온몸이 부들부들 떨릴 정도의 파괴력이었지만, 결과적으로 카이는 제자리를 고수했다.

'한 번 받았으니, 이번엔 내 차례지.'

카이의 왼손이 밝게 빛나기 시작했다.

"홀리 익스플로젼!"

오랜만에 사용하는 신성 주문.

사용할 때마다 느끼는 거지만, 홀리 익스플로젼의 파괴력은 타의 추종을 불허했다.

뚝!

스콜피온의 꼬리가 단번에 잘려 나갔다.

하지만 그것이 끝이 아니었다.

"신성 사슬."

촤라라라라락!

카이는 다시 한번 길게 뽑혀 나온 신성 사슬을 제조 선수처럼 사방으로 휘둘렀다.

후웅, 후웅, 후웅!

순식간에 스콜피온의 몸 전체를 몇 겹이나 휘감는 신성 사슬. 카이는 검을 놓고 사슬의 끝을 양손으로 움켜잡은 채, 젖 먹던 힘까지 끌어내 당겼다.

"흐으으으으읍!"

"끼레에에엑!"

끄드득, 끄드드득!

바위처럼 단단한 껍질이 조금씩 신성 사슬의 압력을 견디지 못하고 형체가 뒤틀린다.

자이언트 스콜피온은 자신의 집게발을 이용해 카이를 공격하려 했으나…….

'전갈은 짧은 집게발로는 등 위의 상대를 공격하지 못해. 절대로.'

오랜 경험으로 그 사실을 알고 있는 카이는 눈 하나 깜빡하지 않았다.

"이걸로…… 끝이다!"

후끈!

폭군의 분노 효과로 인해 사라진 줄 알았던 온도가 한층 높아졌다. 카이가 신성 폭발을 사용했다는 증거.

압력을 겨우겨우 버텨내던 외껍질들이 비명을 내질렀다.

콰드드득, 콰드득!

그대로 몇 조각이 나버린 자이언트 스콜피온은 하얀색 폴리곤이 되어 사막의 모래 위를 뒹굴었다.

"후우, 역시 레벨이 깡패라 그런지, 몬스터 하나 잡는 데도 힘드네."

게다가 칭호도 생성되지 않는 것을 보니, 저 녀석은 필드 보스 몬스터도 아니다.

'저런 말도 안 되는 게 일반 몬스터라고?'

허탈한 마음에 피식 웃음까지 흘린 카이는 검에 휘둘러 검신에 묻은 녹색 액체를 털어냈다.

"그래도 경험치 하나는 대박이네."

80레벨이던 미믹의 경우에는 단번에 7레벨이 상승했다.

138레벨이던 블리자드의 경우에는 4레벨.

카이의 경우에는 더욱 직관적이었다.

[레벨이 올랐습니다.]

잔여 경험치 80% 정도 남았던 상태에서, 한 마리를 잡자 바로 레벨 업. 그것으로도 모자라 경험치 바가 절반 정도 새롭게 채워져 있었다.

"으음, 어디 보자. 내가 초등학교 때 수학 진짜 잘했는데……."

도형의 각도를 구하는 부분을 가장 잘했던 카이.

잠시 머리를 굴려 각도를 재본 카이는 고개를 끄덕였다.

"응, 섰다. 폭업 각!"

✳

미드 온라인에는 다양한 분야의 랭킹이 있다.

투기장 랭킹, 명성 랭킹, 혹은 퀘스트 진행률 랭킹까지 있을 정도.

하지만 일반적으로 랭킹이라고 부르는 것은 단 하나.

바로 레벨 랭킹이다.

세계 랭킹 1위라는 유하린도 다른 곳이 아닌 이곳에 이름을 올리고 있었다.

사실 레벨 랭킹은 쉽게 변동되지 않았다. 미드 온라인 자체가 매크로 따위가 없는 가상현실 게임이기 때문이다.

'오늘 뛰면 내일의 속도는 늦춰진다.'

'어차피 레벨을 올리는 건 단거리 경주가 아니야.'

'페이스 조절. 누구보다 빨리 달리느냐가 아니라, 누구보다 오래 달리느냐가 중요해.'

'다행히 근래에는 불붙이는 놈이 없어서 조금 편하네.'

특히 아래쪽은 몰라도, 1위부터 1,000위까지의 순위는 지독

하다 싶을 정도로 안 바뀌었다.

이유는 간단했다. 만약 1,001위의 랭커가 사냥 속도를 높이면, 당연히 위기감을 느낀 1,000위의 랭커도 속도를 높이기 때문.

그런 연쇄 작용은 그대로 그 위의 모든 랭커들에게까지 영향을 미친다.

그 때문에 랭커들 사이에는 나름의 암묵적인 룰도 생겼을 정도.

'야! 우리 이제 좀 쉽게 쉽게 가자.'

'어차피 너희 랭킹 못 올린다니까?'

'너네가 사냥 속도 올리면 나도 올리면 되지.'

'게임 원투데이 해? 이걸로 노후 대비까지 뽕뽑으려면 몇 년은 더 해야 하잖아?'

'몇 년 동안 이런 식으로 달리면 너도나도 힘들고 지친다. 우리 적당히 타협하자.'

사회를 만드는 건 서로의 배려와 양보라는 것을 여실히 보여주는 랭킹 표.

하지만 그러한 랭킹 표에 지난 2주간 대격변이 일어났다.

점화 스위치를 누른 건 다름 아닌 언노운과 천화의 합작, 검은 벌 사냥이었다.

'와, 천화랑 언노운. 진짜 검은 벌을 재껴 버렸네?'

'평소에 관심도 없던 곳이지만 이건 땡큐!'

'잠깐만, 그럼 검은 벌 놈들은…… 사흘 접속 불가 페널티잖아?'

'지금 아니면 언제 달리냐!'

'사냥이다! 지금은 달려야 할 때야!'

검은 벌에 소속된 대다수의 랭커가 사망했기에, 그들의 순위를 탈환하고자 전쟁이 벌어졌다. 최상위 사냥터의 경쟁이 말도 안 되게 치열해지고, 심지어 동영상 게시판에 늘 영상을 올리던 랭커들마저 조용히 사냥에만 전념했을 정도.

하지만 그것도 2주가 지난 지금은 안정화된 상태였다.

-결과적으로는 천화가 가장 큰 이득을 봤으며, 상위 랭커들은 그럭저럭 이득을 봤지.

-그리고 검은 벌은 망했고.

그것이 세간의 평가. 검은 벌을 제외한 모두가 만족하며 랭킹 탈환 대란은 끝나는가 싶었다.

-응? 그런데 왜 이래?

-뭐야, 랭커들 각성했냐?

-이제 쉴 때쯤 되지 않았어? 안 쉬고 왜 계속 달려?

-단체로 약이라도 빨았나…….

일반 유저들이 고개를 갸웃거리게 할 정도로 달리는 랭커들. 하지만 그건 그들이 원했기 때문이 아니었다.

'미친놈들이 밑에서부터 쫓아오는데 어떡하라고!'

'아니, 왜 저렇게 미친 듯이 달리는데?'

'대충 얻을 거 다 얻었잖아. 대체 뭐가 문제야?'

'으으…… 지난 2주 동안 잠도 3시간씩밖에 못 잤는데!'

일반 유저는 물론, 랭커들 본인조차 이해 못할 두 번째 마라톤의 개최. 그 마라톤은 한 유저에 의해 강압적으로 시작되었다.

[Rank No. 32000. 카이 LV. 249]

"대체 뭔데, 이 녀석!"

"이거 버그 맞다고! 그게 아니라면 어떻게 2주일 만에 레벨을 86이나 올려!"

"아 몰라! 문의는 해놨으니까 일단 따라잡히기 싫으면 사냥해, 사냥!"

레벨 249. 랭킹 3만 2천 등에 새롭게 등재된 루키!

2주 전만 해도 100레벨 중반에서 머무르던 그는 눈부신 성장을 일궈내는 중이었다.

물론 처음에는 그를 눈여겨보는 이가 그리 많지 않았다.

기껏해야 그와 순위가 겹치는 유저 몇 명 정도.

'와, 이 사람 레벨 빨리 올리네. 던전 하나 털어서 짭짤하게 레벨 올리나 봐? 부럽다.'

'어라? 레벨 계속 오르네. 운 좋아서 던전을 두 번 연속으로 발견한 건가?'

'……가만. 이 새끼 이거 레벨이 왜 몇 시간 단위로 오르지?'

'이거 설마…… 버그?'

'이거 설마…… 버그!'

심지어 레벨 업 속도가 느려지는가 싶더니, 200레벨부터는 더 빨라졌다. 그야말로 미친놈이라는 단어가 딱 걸맞는 녀석이다.

-이 새끼 뭐야, 지가 레벨 업의 제왕이라도 돼?

└암만 봐도 버그지. 안 그래도 신고해 놨음.

-하긴. 미드 온라인도 두세 달 뒤면 1주년인데. 이 정도면 오래 버텼지. 버그 나올 때 됐어.

-그런데 나, 이 닉네임 어디서 본 것 같은데…….

└지나가다 봤겠지. 닉네임 중복 허용이 가능하니까. 카이라면 제법 흔한 닉네임이잖아?

└아닌데? 나, 이 이름 알아. 화이트홀에서 들어봤어. 성자라고 하던데.

└어라? 제가 글렌데일의 주점에서 설거지 아르바이트하거든요. 그런데 이곳의 NPC들이 카이라는 모험가는 글렌데일의 성자라고 하던데요?

└뭔 소리야. 그럼 저 유저가 뭐 사제라도 된다는 거야?

└당연하지. 사제가 아닌데 어떻게 성자가 돼?

└아니, 그것보다 어떻게 두 개의 도시에서 동시에 성자 소리를 듣지?

└저기요. 저 프리카 마을에 이제 막 들어온 초보자인데, 저 사람 여기서는 영웅이라고 불리던데요?

└???

└???

그야말로 혼돈의 도가니탕.

카이의 이름은 그렇게 뜬금없이 모두의 예상을 깨부순 형태로 사람들의 뇌리에 각인되었다.

49장
한 편의 영화처럼

카이의 현재 레벨은 249.

세계 랭킹 1위의 유하린이 262레벨이었다. 이제 카이도 최상위급의 랭커라는 소리. 더욱 중요한 건 카이와 언노운의 관계가 들키지 않았다는 부분이었다.

"그렇다고 멀쩡한 사람을 버그로 몰아가다니. 기분이 나쁘…… 지는 않네?"

그야 당연한 반응이었으니까. 자신만 해도 누군가가 2주만에 레벨을 90개 가까이 올린다면, 그것도 1레벨부터가 아니라 100레벨 중반부터 그런 짓을 한다면. 장문의 항의 메일을 써서 페가수스 사에 보냈을 것이다.

[카이]

[직업 : 태양의 사제]

[레벨 : 249]

[칭호 : 신의 대리자]

[생명력 : 44,800]

[신성력 : 101,100]

[능력치]

힘 : 910 / 체력 : 448

지능 : 340 / 민첩 : 308

신성 : 1011 / 위엄 : 270

선행 : 183

……

카이가 레벨을 올리면서 획득한 스탯 포인트만 430개. 힘이 900대에 들어섰고, 사제의 핵심인 신성력은 무려 1,000을 넘겼다.

바다의 폭군 장비를 해제하고 성물 시리즈를 입었기에 사라진 능력도 있었지만, 그보다 상승한 능력치들이 훨씬 더 많았다. 게다가 카이는 가시적인 스펙 업과 더불어 예상밖의 선물까지 받게 되었다.

[레벨 업의 제왕]

[등급 : 스페셜]

[내용 : 레벨 업의 제왕에게 주는 칭호.]

[효과 : 모든 스탯 +10, 경험치 획득률 10% 상승.(이 효과는 칭호를 장착하지 않아도 적용됩니다.)]

레벨 업의 제왕! 시스템마저 카이의 말도 안 되는 레벨 업 속도를 인정해 준 것이다. 하지만 당연히 기분이 좋아야 할 이 상황에서, 카이는 한숨을 내쉬었다.

'후우. 200레벨이 되면 당연히 시미즈, 체란티아의 사념과 대화를 할 수 있을 줄 알았는데……'

그 예상은 보기 좋게 깨졌다.

다만, 그에 대한 힌트가 주어졌을 뿐.

[사념과의 대화를 위해서는 하녹스의 시련을 클리어해야 합니다.]

하녹스의 시련! 그곳의 기사 석상들을 잡지 못한 것이 이런 식으로 발목을 잡을 줄은 몰랐다.

덕분에 카이는 250레벨을 찍는 것을 포기하고 하녹스의 시련을 재차 방문했다.

두 가지를 병행하기에는 시간이 모자랄 것 같았으니까.

"여기도 오랜만이네."

돔 형태의 던전에 들어선 카이를 과거에 보았던 석상 하나가 반갑게 맞이했다.

[초심자용 기사 석상 LV. 130]

"예전에는 저게 무서워서 벌벌 떨었었지."

물론 그때는 겨우 60레벨 정도였으니 이해는 간다.

카이는 터벅터벅 걸음을 옮기며 강인한 의지의 롱소드를 뽑아냈다.

지이잉!

푸른색 귀화가 피어오르는 석상.

[초심자용 기사 석상이 오랜 잠에서 깨어났습니다.]
[초심자용 기사 석상이 도전자의 정보를 파악……]
[모든 관문이 자동적으로 해제됩니다.]

저번과 마찬가지인 메시지들. 그때도 태양의 사제였기에 전투를 피하고, 곧장 패트릭과 대화를 할 수 있었다.

물론 그런 얍삽한 방법을 취했기에 현재 이 고생을 하는 것이지만.

'예전에는 이 녀석이 무서웠지만. 지금은……'

전투에 들어선 카이의 눈빛이 차갑게 가라앉았다.

그의 발이 바닥을 박차는 것과 동시에, 손에 들린 검은 기사 석상의 가슴을 관통했다.

그야말로 놀랍기 그지없는 속도였다.

[초심자용 기사 석상이 파괴되었습니다.]
[도전자는 다음 방으로 이동해 주십시오.]

"이렇게 쉬워졌어."

카이는 말을 줄이고 천천히 다음 방으로 이동했다.

[숙련자용 기사 석상 LV. 170]

두 번째 석상도 검을 한 번 휘두르자 그대로 쓰러졌다.

하지만 이렇게 쉬운 방법도 세 번째 방까지였다.

[하녹스의 전사장 석상 LV. 250]

단칼에 죽이기에는 네 번째 방의 상대가 너무 강했으니까.

카이는 녀석을 보고 나서야 예전의 기억을 떠올렸다.

'아, 그러고 보니…… 이 시런. 마지막 방의 석상 레벨이 300이었지?'

자신이 얼마나 터무니없는 직업을, 마찬가지로 터무니없게 얻었는지 새삼스러울 지경.

"이런 데서 시간 끌릴 여유 없어. 블리자드, 미믹."

순식간에 소환된 그의 사랑스러운 펫들의 모습도 예전과는 달랐다.

197레벨이 된 블리자드는 이제 한 부족의 로드라고 해도 믿을 정도로 늠름했다.

반면에 미믹은…….

"가라, 미믹!"

쉬쉬쉬!

사막 아나콘다의 모습을 흉내 내고 있는 미믹!

카이는 레벨을 미친 듯이 올리는 와중에도, 틈틈이 미믹으로 하여금 다양한 몬스터를 흉내내게 만들었다.

'그 결과 사막에서 수집한 몬스터는 총 세 종류.'

사냥 초반에는 레벨 차이가 너무 많이 나서 흉내 내기를 하는 족족 실패했지만,

미믹의 레벨이 오를수록 성공률이 조금씩 올라갔다. 146레벨인 지금의 미믹은 누가 봐도 위협적인 사막 아나콘다.

꿍꿍!

미믹이 하녹스의 전사장 석상을 빠르게 휘감자, 카이와 블리자드가 내달렸다.

이어지는 일방적인 폭행.

[하녹스의 전사장 석상이 파괴되었습니다.]

[도전자는 마지막 방으로 이동해 주십시오.]

이 던전의 보스라고도 할 수 있는 마지막 방의 석상.

[하녹스의 지배자 석상 LV. 300]

"후우, 이건 나라고 해도 조금은 살 떨리는데."

레벨 300. 카이가 7개월이 넘도록 게임을 하면서도 보지 못한 살 떨리는 수치.

하지만 그 괴물 같은 녀석을 자신이 상대해야 한다.

드드드득.

석상의 눈이 붉은색 빛을 뿜어냈다.

[레벨이 올랐습니다.]×3

"여기서 250레벨을 넘길 줄이야."

레벨 업을 포기하고 하녹스의 시련에 왔는데 오히려 레벨이 더 오르다니?

동시에 카이는 잊어버리고 있던 과거를 떠올릴 수 있었다.

띠링!

[하녹스의 시련을 통과하라 퀘스트가 완료되었습니다.]

[모든 스탯이 1 상승합니다.]

[레벨이 올랐습니다.]

[스탯 포인트를 5개 획득했습니다.]

[던전 공략 보상으로 성물에 깃든 사도들의 사념과 대화를 할 수 있게 되었습니다.]

"헐."

그야말로 까맣게 잊고 있던 퀘스트. 바로 여명의 검술관 관장인 후이가 줬던 퀘스트였다.

'아, 그래. 분명 보상이 모든 스탯 1 상승과 레벨 1 상승이었지?'

정말 생각지도 못한 보상이었다.

마치 방 청소를 하다가 만 원짜리 지폐를 주운 듯한 기분!

"그럼 이제⋯⋯."

이제 선배들과 대화를 할 시간이었다.

"사념과 대화하기."

[체란티아의 사념과 대화를 하실 수 있습니다.]
[시미즈의 사념과 대화를 하실 수 있습니다.]

떠오른 메시지창을 본 카이는 웃으며 입을 열었다.

"난 둘 다."

"나의 벗은 어찌 아직도 오지 않는가?

엘라니아의 손바닥 위에 주저앉은 루테리아가 시무룩한 표정을 지으며 여왕을 올려다봤다.

"귀, 귀엽⋯⋯ 아니, 너무 걱정하지 마십시오, 세계수여. 그는 제가 보아온 그 어떤 인간보다 진실된 자. 절대 저희를 버리지는 않을 것입니다."

"그가 우리를 버릴 것을 걱정하는 것은 아니다. 다만⋯⋯ 이대로라면 시간이⋯⋯."

루테리아가 잦은 푸념을 내뱉기를 잠시.

엘프 정찰병이 화색이 된 표정으로 달려왔다.

"사도가 도착하셨습니다!"

"오오! 나의 벗이여!"

루테리아가 팔다리를 흔들어대며 엘라니아를 재촉했다.

"나를 그에게 데려다주게! 어서!"

"예, 어버이시여."

서둘러 카이를 찾아간 엘프 여왕은 흠칫 놀랐다.

'그 짧은 시간에…… 사람이 바뀌었어?'

이전의 카이도 분명 강한 인간이었다.

하지만 그 수준은 자신이 전력을 다하여 싸운다면 쉽게 이길 정도.

'헌데 지금은…….'

엘라니아가 카이의 두 눈동자를 빤히 쳐다봤다.

그의 깊이가 보이질 않는다.

"어머."

한마디로 지난 2주간 그의 성취가 남다르다는 뜻이다.

엘프 여왕은 우아하게 고개를 숙였다.

"무언가 깨달음이 있으셨나 보네요. 축하드려요."

"깨달음은요. 그냥……."

무언가 찜찜한 표정을 지은 카이가 어깨를 으쓱거렸다.

"좀 귀찮은 사람들 두 명 정도 만난 게 전부입니다."

"······?"

고개를 갸웃거리는 엘라니아를 무시한 카이는 루테리아에게 말을 걸었다.

"루테리아 님. 저는 준비가 끝났습니다."

"그 말을 기다리고 있었다. 나의 친우여."

당당하게 엘라니아의 손바닥 위에 선 루테리아가 목소리를 높였다.

"나의 아이들아! 이 남자를 따라가라! 그의 창이 되고, 방패가 되어 잔악한 뮬딘 교를 쓸어버리고 이 땅의 평화와 일족의 미래를 되찾아라!"

"예!"

반론조차 이어지지 않는 깔끔한 복종!

"나는 숲을 쉽게 떠날 수 없는 몸. 그대에게 아이들과 숲의 미래를 맡기겠네. 무운을 빌지."

"맡겨만 주십시오."

미소를 지은 카이는 자신의 앞에 도열한 700여 명의 엘프들을 쳐다봤다.

"진격합니다."

"카이 님, 목표는 어디입니까?"

엘두인의 질문에 카이는 뭐 그리 당연한 것을 묻느냐는 표정으로 대꾸했다.

"우선 숲의 불법체류자들. 놈들부터 쫓아냅시다."

오늘도 평화로운 미드 온라인 커뮤니티.
그곳에 아무런 예고 없이 동영상 하나가 업로드되었다.

-으응? 언노운이네?
-혹시 검은 벌이랑 전쟁했던 영상 올라온 건가?
-오오, 그렇다면 기대기대.

부푼 기대를 껴안은 채 영상을 재생한 유저들은 몇 초가 지나지 않아 고개를 갸웃거렸다.

-……이게 뭐야?
-1인칭 시점이라고……?
-무슨 다큐멘터리 찍냐?
-아니, 갑자기 왜 안 하던 짓을 한데?

언노운의 동영상은 원래 영상미와 스토리가 좋기로 유명했다. 그런데 무슨 일인지 이번 동영상에는 CG효과가 일체 없었다.

다만, 보는 이로 하여금 뒤로가기를 누르게 만들 수 없을 정도의 몰입감만 있을 뿐.

-와, 다른 건 모르겠는데…….

-CG가 없어도 1인칭이니까 몰입이 확 되네?

-그런데 여기 엘프의 숲인 것 같은데…… 혼자서 뭐하는 거래?

└혼자인 건 어떻게 아는데?

└발소리 들어보면 알지. 헤드셋 좋은 거 껴라.

숲속을 혼자서 조용히 거니는 언노운. 그가 발을 옮길 때마다 나뭇잎이 밟히는 소리 하나밖에 들리질 않는다.

새조차 지저귀지 않는 고요한 숲속.

우뚝.

돌연 발을 멈춘 언노운이 고개를 돌리자 화면이 돌아갔다.

그리고 등장하는 한 명의 사내.

눈 밑에 노란색 줄 세 개를 그려놓은 사내는 귀가 뾰족했다.

그것이 의미하는 바는 명확했다.

유저들은 당장 키보드를 두드렸다.

-헉! 엘프다!

-언노운이 엘프를 찾아냈다!

-설마…… 이건 엘프의 마을 발견한 걸 찍은 건가?

-여태까지 아무도 못했던 거잖아?

-역시 언노운! 실망시키질 않는군!

-저 엘프 오빠 뭐예요? 너무 잘생겼어요 ㅠㅠ

순식간에 텐션이 올라간 유저들!

하지만 언노운은 말이 아닌 행동으로 보여주었다.

너희들이 놀라야 하는 건 지금이 아니라, 이 다음이라고.

-쓸어버려.

영상에서는 처음 나오는 언노운의 목소리. 강철처럼 단단하
며, 겨울날의 호수처럼 차가운 음성이었다.

-쓸어? 뭘 쓸어.

-뭐 엘프 마을에서 마당 쓸기 퀘스트라도 하나?

-언노운 목소리 은근히 좋은데?

온갖 궁금증이 새록새록 등장하는 순간. 수백 개의 인영이
언노운의 옆을 스쳐 가기 시작했다.

모두 엘프였다.

…….

그 압도적인 물량에 할 말을 잃어버린 유저들.

-흐읍!

다음 순간 언노운도 달음박질을 시작했고, 화면이 크게 흔들렸다.

그런 그의 눈앞으로 속속들이 등장하는 다크엘프들!

스릉! 서걱!

언노운의 검에는 눈이 달려있지 않았고, 그래서인지 자비가 없었다.

달려드는 족족 폴리곤으로 변하는 다크엘프들.

전투 영상은 겨우 20분 남짓으로 매우 짧았다.

유저들이 숨도 제대로 못 쉴 정도로 박진감 넘치는 전투 영상이 끝났을 때.

휘익!

언노운은 검을 멋드러지게 휘둘러 검신에 묻은 피를 털어냈다.

동시에 검을 갈무리하며 등을 돌리는 언노운.

-엘프들이여.

그의 음성이 숲을 떠돌자 엘프들이 하나둘 무릎을 꿇었다.
그들은 복종의 자세로 얌전히 언노운의 명령을 기다렸다.
가히 장관이라고 할 수 있는 그 모습에 언노운은 천천히 입
을 열었다.

-가자. 전쟁을 할 시간이다.

위엄 넘치는 목소리가 흘러나왔다.

"……언노운, 정말이지 어디로 튈지를 모르겠군."
언노운이 올린 동영상을 보던 워리어스의 마스터, 발칸은
쓸쓸한 미소를 감추지 못했다.
'너무 절묘하게 치고 들어왔어.'
커뮤니티에서 화제가 되고 있는 언노운의 영상. 고작 20분
짜리의 예고편임에도 불구하고 그 인기는 하늘을 찔렀다.
심지어 각종 포털 사이트의 실시간 검색어에는 언노운과 관
련된 키워드가 도배될 정도.

뜨거운 관심을 지켜보던 발칸은 피식 웃음을 터뜨렸다.

"사람들은 알까? 언노운의 이 영상은 단순한 홍보가 아니라 일종의 메시지라는 것을."

그의 말대로다. 일반 유저들이 보는 시점과 10대 길드의 마스터들이 보는 시점은 다를 수밖에 없다.

그래서 평범한 유저들이 엘프와 언노운의 활약을 주시할 때, 10대 길드의 마스터들은 다른 부분을 주시했다.

"아니, 오히려 언노운이 대놓고 보여줬지."

언노운과 엘프들의 맹습에 기가 질려 도망치는 다크엘프들. 그들 중에는 뮬딘 교의 암흑 사제들이 섞여 있었다.

한 마디로 지금 언노운이 수행 중인 퀘스트는 뮬딘 교가 연관되어 있다는 뜻.

'요즘은 어둠 추적자 내부에 첩자가 있다는 이유로 임무조차 잘 내려오질 않아.'

한 마디로 뮬딘 교, 메인 에피소드와 관련된 퀘스트를 진행할 연결 고리가 끊어졌다는 소리.

그런 상황에서 뮬딘 교의 꼬리를 잡을 수 있는 이 전쟁은 가뭄 속의 단비와도 같다.

즉, 언노운이 이 영상을 올린 이유는 간단했다.

'표면적으로는 자신의 명성을 드높이기 위해. 하지만 그 속내는……'

영상을 보고 있는 이들 중 뮬딘 교를 알고 있는 자들.

그들에게 말하고 있는 것이다.

힘을 보태라고. 이건 뮬딘 교의 흔적을 쫓을 둘도 없는 기회라고.

"……."

잠시 눈을 감고 고민을 이어가던 발칸은 결국 채팅방을 떠났다.

그곳에선 이미 활발한 대화가 이뤄지는 도중이었다.

-미네르바 : 이 전쟁은 10대 길드 차원에서 주도해야 해요.

-요시아츠 : 이미 늦었다. 우리가 어떤 활약을 하더라도 주목은 언노운이 받고 있어.

-레너드 : 전쟁에서 승리해도 모든 공은 언노운이 독차지하겠지.

-골리앗 : 차라리 지원을 하지 않는게 나아. 언노운이 전쟁에서 패배하는 것이 베스트고.

-캐서린 : 지랄하네. 뮬딘 교의 뒤를 쫓을 유일한 기회를 차버리겠다고? 난 갈 거야.

-골리앗 : ……예전에 목구멍에 검을 한 번 박아줬더니, 입 대신 손가락만 살았나 보군.

-캐서린 : 아하, 네 눈깔 두 쪽에 단검 박혔을 때 말하는 거지?

서로 라이벌이나 다름없는 10대 길드 마스터들 중에서도 견원지간은 존재하게 마련.

　채팅방을 가만히 쳐다보던 발칸이 처음으로 입을 열었다.

　-발칸 : 워리어스는 참가하겠다.

　-골리앗 : 곰 같은 여우 녀석. 당장의 이익만 중요하다는 건가?

　-발칸 : 그럼 무엇이 더 중요하지? 굳이 참가하지 않을 이유는 없다.

　-캐서린 : 있잖아, 골리앗. 그렇게 불만이라면 아예 깽판을 쳐보는 건 어때?

　-골리앗 : 내가 그런 조잡한 도발에 넘어갈 것이라 생각하나?

　-캐서린 : 아, 진짜 아쉽다. 훅 보내 버릴 수 있었는데.

　짙은 아쉬움을 내뱉는 캐서린.

　하지만 골리앗은 물론이고 채팅방의 그 어떤 마스터도 이번 전쟁에 훼방을 놓을 생각은 하지 못했다.

　'이 정도 규모의 전쟁이라면 한, 두 명 가지고는 훼방을 놓을 수도 없어.'

　'최소 공격대 하나는 파견해야 해. 그래야 하는데……'

　'젠장. 비밀리에 공격대 하나 정도는 키워놨어야 하는데.'

　'게다가 이 판은 언노운이 만들어놨다. 우리가 훼방을 놓는다면, 그 이유가 어떻든 거대 세력이 가엾은 개인을 핍박하는

것으로밖에 보이지 않아.'

10대 길드의 전력은 이미 세상에 널리 알려져 있다.

길드 단위로 레이드를 하고, 그 영상을 판매하니까.

공격대에 속한 이들은 스크린샷만 올라와도 5분 안에 정체가 탄로날 것이 분명했다.

한 마디로 10대 길드가 지닌 선택지는 단 두 가지.

'언노운의 얼굴에 금칠을 해주고 뮬딘 교에 대한 단서를 얻느냐……'

'그 더러운 꼴을 보기 싫어서 막대한 이득을 포기하느냐.'

양자택일의 선택지. 현재 레이드를 준비 중인 길드 세 곳을 제외한 나머지 여섯 길드는 참여 의사를 밝혔다.

-캐서린 : 우리는 결론이 이렇게 났는데. 여왕님은 어쩌시려나?

캐서린의 의문에 조용히 대화만 읽던 여인이 가상 키보드를 두드렸다.

-설은영 : 참여합니다.

"지금 당장 연락 넣어!"

"하지만 이미 전에도 몇 번이나……."

"에잇! 지금 찬물 더운물 가릴 때야? 수십 통이라도 좋으니 쪽지 넣으라고!"

"어, 난데. 지금 당장 다음 주 방송 스케줄…… 아니, 이번 주 방송 스케줄 어떻게 되는지 확인해 봐."

"분명 영상에서 한국어로 말했다. 한국인이 분명해!"

"무슨 수를 써서라도 우리 쪽에서 계약 따내야 한다. 당분간 퇴근은 없다 생각하고 언노운이랑 접선 시도해!"

방송국들. 그중에서도 게임 콘텐츠를 주로 다루는 방송국들은 발등에 불이 떨어졌다.

이번에 언노운이 올린 동영상은 그들을 유혹하는 최고의 미끼가 될 수밖에 없었으니까.

'예전에 무명 파티의 필드 보스 레이드를 송출했을 때도 시청률이 11%는 넘었어.'

'그런데 이건 무려 언노운이라고.'

'게다가 레이드 따위가 아니야.'

'전쟁이다. 과거 천화의 베이거스 레이드에 필적할 만한…… 아니, 그것조차 뛰어넘을 만한 결과물이 나올 거야.'

이미 흥행 보증수표나 다름 없는 언노운의 영상!

게다가 이번에 그가 올린 영상의 인트로는 그 스케일부터가 차원을 달리했다.

무려 전쟁. NPC들을 이끌며 전쟁을 일으키는 언노운의 영상이라면 굳이 뚜껑을 열어보지 않아도 된다.

그 반증으로 각 방송국의 시청자 게시판은 이미 포화 상태가 된 상황이었으니까.

-혹시 언노운의 전쟁 영상이 TBC방송국과 계약되어 있나요?

-언노운 팬카페에서 나왔습니다. NET미디어에서 얼마전에 언노운 특집 방송 틀어주던데, 이번 영상이랑 관련 있습니까?

-영상을 보니 언노운이 한국말을 쓰던데, 한국인 맞죠?

-언노운 영상에 나온 엘프 참 잘 생겼던데, 혹시 그분 이름이 뭔지 아시나요?

이곳이 정녕 시청자 게시판인지, 지식in인지 분간이 안 갈 정도의 게시글들이 쏟아졌다.

본래 가열이란 아래에서부터 천천히 위로 올라가는 것.

이번 사태 또한 금세 방송국 국장들의 귀로 흘러 들어갔다.

"음? 언노운이라고?"

"들어는 봤지. 뭐? 이번에 개량 계약하고 싶다고?"

"글쎄…… 영상이 재미있긴 하던데, 그걸 굳이 방송국에서……."

"응? 언노운이 NPC들 이끌고 전쟁을 벌여? 야, 이 새끼야! 그걸 제일 먼저 말했어야지!"

"스케줄 최대한 맞춰준다. 계약금도 상관없어. 미드 온라인 부문 방송 영향력 1위인 우리 온게임즈에서 무조건 계약 따내야 된다. 못하면 시말서 쓸 각오해!"

각 방송국들의 눈치 싸움!

그들도 바보가 아닌 이상 알고 있었다.

이번 계약을 따낸 방송국이 향후 미드 온라인 방송에서 얼마나 대단한 영향력을 행사할지.

"첫인상이 중요해요. 계약금을 20억 정도로 하면 언노운도 혹하겠죠?"

"야, 이 멍청아. 펫들에게도 세트 아이템을 입혀주는 녀석이야. 최소 금수저라고! 그 정도 돈으로는 어림도 없지."

"어차피 국장님 허락 떨어졌다. 기왕 쓸 거 팍팍 쓰라고! 거기다가 추가 옵션도 걸어. 시청률에 따른 인센티브도 챙겨주고 미녀 랭커, 아이돌과 합동 프로그램까지 편성해 줘. 지원을 아끼지 마라!"

방송국 관계자들이 골머리를 썩고 있을 때, 카이의 군대는 이미 수베르 운하에 도착한 상태였다.

폭 800미터의 인공 수로인 수베르 운하. 이미 하나의 강이라 봐도 무방할 정도의 압도적인 폭과 길이를 지닌 수로.

그 거대한 수로를 끼고 있는 비르 평야는 겨울이 목전이었기에 황량했다.

추수할 곡식도 없으며, 인적이 드나들지도 않는 장소.

자신의 전장이 될 풍경을 눈에 담던 그는 생각에 잠겼다.

'메시지. 잘 전해졌을까.'

오늘 커뮤니티에 올린 동영상을 굳이 1인칭으로 찍은 이유는 간단했다.

'그래야 뮬딘 교의 암흑 사제 녀석들의 모습을 화면에 예쁘게 담을 수 있으니까.'

바로 미끼를 뿌리기 위함이다.

암흑 사제들을 잘 찍기 위해 고개를 휙휙 돌렸기 때문인지 목이 다 뻐근했다.

'이벤트 냄새 맡고 찾아온 일반 유저들도 있네.'

엘프들의 행렬을 멀리서 쳐다보며 천천히 쫓아오는 일반 유저들. 카이는 그 모습을 보며 미소를 지었다.

'굳이 추가 영상은 안 올려도 되겠어.'

저들이 자신과 엘프들의 군대를 SNS에 올리는 건 불 보듯 뻔한 일이었다.

한 마디로 자신이 이곳, 비르 평야에 있다는 걸 다른 유저들도 알게 된다.

'유저들도 아는 걸 10대 길드 쪽에서 모를 리는 없겠지.'

카이는 마음이 한결 편해지는 것을 느꼈다.

사실 처음에는 굳이 10대 길드를 전쟁에 참가시킬 생각이 없었다. 약간이지만 공과 명성을 나눠 가져야 하니까.

하지만 그런 마음은 출정식을 치르면서 바뀌어버렸다.

"아저씨, 꼭 무사히 돌아와야 돼?"

"늙어서 함께 전장으로 가지 못하는 것이 한이로구나."

"기다릴게. 몸 성히 돌아와야 해."

자랑스러운 숲의 전사들을 배웅하는 엘프들. 눈물을 쏟아내는 그들을 쳐다보며 카이는 크나큰 잘못을 깨달았다.

'이들의 목숨은 단 하나뿐이야. 유저와 달라.'

리저렉션을 사용해도 살릴 수가 없다는 소리였다.

그러니 하나라도 더 많은 생명을 살려서 기다리는 이에게 돌려보내겠다고, 카이는 영상을 찍으며 그리 다짐했다.

"카이님. 주변에서 모험가 세력들이 다가옵니다."

"어디……."

엘두인의 말에 고개를 돌린 카이는 다양한 깃발들을 확인하며 고개를 끄덕였다.

'많이도 왔네. 워리어스, 타이탄, 블랙마켓, 프레이, 리미트리스. 그리고……'

그 속에서 낯익은 문양을 발견한 카이가 깜짝 놀란 표정을 지었다.

"천화?"

검은 벌의 영역을 흡수하며 관리하기 바쁜 천화에서 정예를 이끌고 전장을 방문한 것이었다.

가까이 다가온 설은영은 카이를 보며 살짝 고개를 숙였다.

"은혜를 갚으러 왔어요."

"……감사합니다."

이어서 고개를 돌린 카이가 길드의 마스터들을 쳐다봤다.

'실제로 보는 건 처음이야.'

불과 반년 전만 해도 화면에서만 볼 수 있던 유명 인사들.

하지만 지금은 자신이 만든 전장에 찾아왔다. 바로 자신을 도와주기 위해서.

"어이, 분명히 말해두지만 난 네놈의 지시를 듣지 않겠다."

물론 예외도 있는 모양이지만.

카이는 소리가 들린 방향을 향해 고개를 돌렸다.

타이탄 길드의 골리앗이었다.

'그러고 보니 이 녀석과도 제법 악연이 있지.'

예전이었다면 골리앗과 타이탄 길드라는 이름에 어깨부터 움츠렸을 것이다.

하지만 지금은 다르다.

'힘이 없는 것도 아니고……. 무엇보다 난 언노운이야.'

언노운, 피도 눈물도 없는 유저. 한 번 척을 지면 그 상대가 누가 되었건, 설령 10대 길드 중 한 곳일지라도 철저히 파괴해 버리는 난폭한 사냥개.

가면을 썼다면 가면에 어울리는 행보를 보여줘야 하는 법.

척!

카이는 예고 없이 검을 뽑아 골리앗을 겨누었다. 그러자 동시에 700여 엘프들도 활시위를 팽팽하게 당겼다.

"……이게 무슨 뜻이지?"

"간단해. 내 지시를 받기 싫다면, 내 전장에서 꺼져."

"지금 그 언사로 인해 네놈은 나는 물론, 타이탄 길드 전체를 적으로 돌릴 수도 있다."

"벌은 작아서 손맛을 느낄 새도 없었는데, 거인이라면 다르겠지."

"감히……!"

울컥한 골리앗이 주먹을 휘두르려는 순간.

한 줄기의 음성이 그의 움직임을 우뚝 멈춰 세웠다.

"지금 감히 누구에게 손을 대려는 거지?"

50장
비르 평야 전투

분노조절장애. 화가 나는 상황에서 그 정도를 스스로 조절하지 못하는 성격 장애를 일컫는다.

골리앗의 성격이 딱 이러했다.

나면서부터 키, 맷집, 특유의 배포와 힘을 타고난 그는 평생을 강자로 군림해 왔다.

하지만 본인의 마음대로 세상을 살아가기엔, 법이라는 것이 거슬렸다.

그러던 찰나 미드 온라인을 만난 골리앗은 크게 감탄했다.

'완벽한 세상이다!'

카이에게 미드 온라인이 훌륭한 도피처, 세상이 되었듯 골리앗에게도 마찬가지였다.

'하지만……'

눈앞의 남자를 보는 골리앗의 눈동자가 잘게 흔들렸다.

깝치면 죽는다는 생각이 머릿속 경종을 쉴 새 없이 울렸기 때문이다.

순식간에 골리앗의 앞까지 이동한 남자는 그를 올려다보았다.

"물었다. 지금 감히 누구에게 손을 대려는 것이냐고."

"……그쪽은?"

"질문은 내가 한다. 네 역할은 대답하는 것. 그리고……"

철그렁.

남자가 천천히 오른손을 들었다.

동시에 뒤바뀌는 주변의 공기.

드드드드.

"낮춰라. 목 아프다."

"커억……!"

골리앗은 어깨를 짓누르는 미중유의 힘에 저항했다.

식은땀을 뻘뻘 흘리면서 버티던 그는, 태연한 표정의 남자를 보는 순간 저항을 포기했다.

'이건 못 이긴다.'

태어나서 처음 맛보는 짙은 패배감.

쿠웅!

포기와 함께 무릎을 꿇은 골리앗은 목 언저리에 드리워진

차가운 검신을 느꼈다.

그리고 머리맡에서 느껴지는 검날의 서늘함보다 더욱 차가운 음성.

"마지막으로 묻지. 답해라. 지금 누구에게 손을 대려는 거지?"

"나, 나는……."

"바체 님. 오셨습니까."

일촉즉발의 상황. 카이는 그 절묘한 틈을 찌르며 자연스럽게 등장했다.

슬쩍 카이를 쳐다본 바체가 고개를 살짝 끄덕였다.

"폐하의 명에 따라 이번 전투에서는 그대와 함께 싸우게 되었다. 기사단의 독립적인 지휘권은 나에게 귀속되어 있으나, 최대한 그대의 의견을 반영하지."

"감사할 따름입니다."

"곤란해 보여서 끼어들었다만, 이건 뭐지?"

"별거 아니니 제가 처리하겠습니다. 철혈 기사단장님의 검을 상대하기에는 한참 부족한 애송이입니다."

철혈 기사단장!

카이의 입에서 흘러나온 이름이 주는 무게에 길드의 마스터들의 눈빛이 바뀌었다.

'아아! 바체! 어디서 들어봤나 했더니…… 철혈 기사단장, 바체 댄 블랙이다!'

'라시온 국왕의 가장 날카로운 검.'

'그곳의 단장이면 최소 400레벨은 넘겠지.'

'이자가 전장에 나왔다는 건……'

'라시온 국왕. 그가 직접 명령을 내린 경우뿐이다. 언노운의 인맥은 대체……'

'호호, 골리앗 병신. 꼴좋네.'

그들이 한발 물러선 채 순수하게 놀랄 수 있었다면, 골리앗은 미친 듯이 놀랄 수밖에 없었다.

'이런 미친! 이런 작자가 이곳에 왜 오는 거냐!'

말 그대로 애들이 싸움하는데 어른도 아니고, 세계 복싱 챔피언이 나타난 수준.

침을 꿀꺽 삼킨 그는 다가오는 카이를 올려다봤다.

"나도 마지막으로 물을게. 내 지시받을래, 꺼질래?"

"……"

꽉 쥔 주먹을 부르르 떨어대던 골리앗은 눈을 질끈 감더니 입을 열었다.

"……지시를 따르지."

"좋아, 그럼 타이탄 길드에게는 군의 최후방을 부탁하지."

"……"

당하는 입장에선 가장 기분이 더럽다고 소문난 인사 보복!

활약을 하는 것이 불가능에 가까운 최후방을 지정받았지

만, 골리앗은 아무 말도 할 수 없었다.

지이이.

바체와 그가 이끄는 기사들이 두 눈을 시퍼렇게 뜬 채 그를 주시하고 있었으니까.

골리앗은 그날 분노조절잘해가 되었다.

'대략 1,700명 정도인가?'

10대 길드에서는 각각 100명씩의 정예를 데려왔다.

거기에 엘프 전사 700여 명, 철혈 기사단 50인.

마지막으로 기웃거리며 카이를 쫓아온 일반 유저들 400명까지!

도합 1,750명이라는 역대급 인원을 지휘하게 된 카이가 물었다.

"엘두인. 뮬딘 교가 이 방향으로 오는 것은 확실하지?"

"예. 루테리아 님께서 몇 번이고 확신하셨습니다."

세계수의 확언이라면 의심하지 않아도 된다.

보기에는 귀엽게 생겼지만 동화 속에서나 볼 법한 전설적인 생명이니까.

'그럼 작전이 흔들리는 일은 없겠어. 다만……'

카이는 슬쩍 고개를 돌려 등 뒤의 유저들을 바라보았다.

"1,700명이 넘는다던데. 이거 실화냐?"

"머릿수가 이 정도면 어떤 적이 와도 걱정 없다고."

"이 전력이면 웬만한 백작령도 쑥대밭으로 만들 수 있지 않을까?"

"이건 무조건 방송 나가겠지? 엄마! 나 방송 탔어!"

"게다가 전쟁이 끝나면 라시온 왕국 차원에서 보상도 있을 거야. 크으…… 기분 끝내준다!"

마스터의 통제를 받는 10대 길드원들, 엘프 전사들과는 달리 들뜬 일반 유저들.

카이를 따라 그들을 쳐다보던 바체가 입을 열었다.

"……글쎄. 과연 그리 쉬운 전투가 될까."

카이의 군대는 인원만큼은 역대급이라 칭할 만하다.

하지만 실상은 저마다의 이익을 우선시하는 오합지졸.

그 핵심을 꿰뚫어 본 바체가 통렬한 비판을 날린 것이다.

"아군의 전력은 이것이 전부인가?"

"음…… 시간이 지나면 800명이 더 올 겁니다."

"호오, 800명이나 말인가?"

놀란 것은 비단 바체뿐만이 아니었다.

'800명이라고?'

'이상하군. 내가 알기로 언노운은 그 어떤 길드에도 소속되

어 있지 않아.'

'그런데 800명이나 동원할 수 있다고? 그게 가능한건 흑룡의 쟈오 린 정도…… 역시 허세겠지?'

'뭐, 기다리다 보면 결과는 나오겠지.'

다양한 의미로 주목을 받게 된 카이.

그는 가만히 눈을 감고 마음을 다스리는 중이었다.

'이번 전쟁은 나에게 있어서 최고의 기회이자, 최대의 고비야.'

일만 잘 풀리면 앞으로의 게임 생활은 상당히 쉽게 풀릴 것이다. 상황이 그렇다고는 하나, 10대 길드를 수하로 부린 유일한 플레이어가 되는 셈이니까.

'게다가 전쟁에서 승리하면 왕실 쪽에서도 막강한 지원을 해주겠지, 무엇보다……'

엘프와 인어족. 그들의 압도적인 지지를 받게 된다.

'하지만 지금은 우선……'

그의 두 눈이 저 멀리 북쪽에 위치한 피베즈 산맥의 정상을 주시했다.

"……많군."

바체의 중얼거림과 동시에 1,700여 명의 표정이 딱딱하게 굳어갔다.

"자, 잠깐만."

"아, 아니지……? 설마 저게 전부?"

"적군이라고?"

"이런 미친! 난 여길 나가겠어!"

전쟁. 서로 대립하는 집단이 서로의 군사력을 비롯한 각종 수단으로 상대방을 강제하는 행위.

그 폭력적인 행위에서 가장 우선시 되는 것은…… 다름 아닌 인원수다.

……두두두!

겨울이 으레 그러하듯, 나뭇잎 하나 없는 앙상한 나무들이 피베즈 산맥을 뒤덮고 있었다.

그리고 그 위에 살포시 내려앉은 것은 겨울을 상징하는 순백의 눈.

두두두두두두두!

그 눈은 검은색 군대에 의해 순식간에 물들어갔다.

"그대는 적군이 몇 명 정도라 생각하지?"

"……글쎄요. 못해도 5천 명은 되어 보입니다."

"상당히 긍정적인 성격이군."

옅은 한숨을 내쉰 바체가 입을 열었다.

"최소 1만, 많으면 1만 2천까지는 되어 보이는군."

"1, 1만이라고?"

"거의 다섯 배 차이잖아……?"

"아니야. 이건 정말 아니야."

이번 전쟁을 단순한 이벤트로 알고 찾아온 일반 유저들이 순식간에 대열을 이탈하기 시작했다.

"어이, 멈춰!"

"야, 이 새끼들아! 여기까지 와서 어디가!"

10대 길드원들이 다급히 그들을 말렸지만, 이를 무시한 유저들은 속속들이 사라져갔다.

로그아웃을 하거나, 귀환 주문서를 사용하며 순식간에 자리를 떠나는 유저들.

"크으윽……"

"의지라고는 눈곱만큼도 없는 새끼들!"

빠져나간 유저들의 수만 무려 300여 명!

하지만 카이는 굳이 그들을 말릴 생각을 하지 않았다.

오히려 그들의 등을 떠밀었다.

"떠날 사람은 지금 떠나십시오!"

쩌렁쩌렁!

지휘관의 특별한 능력. 카이의 목소리가 드넓은 비르 평야에 퍼져나갔다.

"어, 언노운이 떠나도 된다는데?"

"저렇게까지 말했으면 보복은……"

"없다는 거겠지."

"야! 어쩔래?"

"……나가자."

50명의 유저가 새롭게 사라졌다.

이에 워리어스의 마스터, 발칸은 이해할 수 없다는 표정으로 카이를 쳐다봤다.

"손 하나라도 부족한 이때 왜 굳이……."

"저들이 도움이 될 거라 생각합니까? 진심으로?"

"……."

발칸은 그 질문에 아무런 대답도 할 수 없었다.

애초에 보상만을 노리고 가벼운 마음으로 전쟁에 참여한 이들이다. 그들에게는 그 어떤 각오나 다짐, 신념도 존재하지 않았다.

'그 녀석들은 상황이 불리해지면 전투 도중에라도 도망칠 놈들이야.'

전투를 치르는 와중에 주변의 동료가 도망치기 시작하면 군대는 순식간에 무너진다.

지난 2주 동안 사냥을 하면서도 꼼꼼히 기초 지휘, 전략, 전술 공부를 게을리하지 않은 카이.

역사에 기록된 다양한 전투를 찾아보고, 명장들의 전략을 닥치는 대로 훑어보았다.

'전투에 참여하는 이들은 우선 뒤가 없어야 해.'

필사즉생필생즉사(必死則生必生則死)!

비겁하게 살고자 하면 죽을 것이고, 죽으려 하면 살 것이라는 이순신 장군의 명언이다.

"모두 나를 아시리라 생각합니다!"

카이의 말에 수백 명의 유저가 얼떨떨한 표정으로 그를 쳐다보았다.

물론 모를 리야 없다.

언노운. 단신으로는 현재 미드 온라인에서 가장 핫한 플레이어니까.

"두 번 말하지는 않겠습니다. 이 전투는 이길 수밖에 없습니다."

카이가 밑도 끝도 없이 자신감을 드러내자, 유저들이 고개를 갸웃거렸다.

"백문불여일견(百聞不如一見). 왜 제가 언노운인지. 항상 압도적으로 강한 적들을 상대로 이겨왔는지. 오늘 똑똑히 보여드리겠습니다."

불패신화!

다른 이가 저런 말을 했다면 코웃음을 치고 말았을 것이다. 하지만 언노운이 남긴 발자국들은 그 말에 신빙성을 안겨주기에는 충분했다.

'그러고 보니 언노운이라면……'

'오크 로드와 주술사, 검은 벌의 루키 파티를 한 번에 전멸시 켰지?'

'그 아오사를 혼자서 레이드하기도 했고.'

'게다가 실질적으로 검은 벌을 혼자서 무너뜨린 괴물이지.'

'그럼 정말 저 녀석과 함께라면…….'

'이길 수 있을지도?'

다 죽어가는 아군의 눈빛에서 피어오른 한 줄기의 생기!

동시에 카이의 눈앞으로 메시지창이 떠올랐다.

띠링!

[압도적인 위엄을 바탕으로 연설을 하여 아군의 사기를 끌어 올렸습니다.]

[화술 스킬의 레벨이 올랐습니다.]

[화술 스킬의 레벨이 초급 6레벨이 되었습니다.]

[아군의 사기가 크게 상승합니다.]

[전투가 끝나기 전까지 모든 아군의 능력치가 3% 상승합니다.]

"오, 오오오!"

"모든 능력치 증가 버프!"

"할 수 있어. 할 수 있다!"

이 자리에 참여할 정도의 유저들은 최소 레벨 200이 넘는 고수들이다.

그들에게 3% 상승은 절대 작은 수치가 아니었다.

게다가 그것이 끝이 아니었다.

"저희를 굽어살피시는 아버지, 헬릭이시여."

카이가 돌연 경건한 목소리를 내뱉으며 무릎을 꿇었다.

그 모습을 본 10대 길드 마스터들이 의문을 내뱉었다.

"장비를 바꿔 입었어?"

"……그런데 왜 사제복이지?"

"젠장, 후드 때문에 얼굴이 보이지 않아."

"태양교의 출정 의식이에요."

성기사와 사제들이 대거 소속되어 있는 프레이 길드의 마스터, 미네르바가 이를 설명했다.

"태양신에게 빌어 그 가호를 받는 것이죠. 물론 그 효과는 그리 크지 않지만……."

"한마디로 그냥 연출이라는 소리군."

"뭐, 이후에 가공될 영상까지 생각하면 이해가 안 가는 건 아니지."

그들이 무엇이라 떠들건 말건 묵묵히 기도를 마친 카이는 나지막이 중얼거렸다.

"……저희를 보호하소서. 스킬 발동, 천사들의 찬가."

동시에 강렬한 태양 빛이 한 차례 카이의 군대를 비추고 지나갔다.

니, 나니노! 니, 나니노!

어느새 그들의 머리 위에서 호른을 불며 날아다니는 수많은 아기 천사들! 그들을 멍하니 쳐다보는 유저들의 눈앞에, 충격적인 메시지가 떠올랐다.

띠링!

[태양신 헬릭이 은혜로운 태양빛을 선물하였습니다.]
[천사들이 낭송하는 찬가를 들었습니다.]
[받는 물리 대미지와 마법대미지가 30% 감소합니다.]
[모든 상태 이상 저항력이 40% 증가합니다.]

니, 나니노! 니, 나니노!

멍한 상태로 천사들의 연주와 노랫소리를 듣던 유저들은 뒤늦게 정신을 차렸다.

"이, 이게 뭐야?"

"이런 버프는 받아…… 아니, 들어본 적조차 없다고!"

"물리, 마법 피해가 30%씩 감소한다고? 거기다가 모든 상태 이상 저항 증가……?"

"개사기 스킬이잖아!"

"가만, 그럼 이런 버프 스킬을 쓴다는 건……."

650명의 유저들이 일제히 카이, 아니 언노운을 쳐다봤다.

그건 길드 마스터들이라고 예외가 아니었다.

'언노운이 이 정도의 버프 스킬을 사용할 수 있었다고?'

'이건 랭커 사제도 부여할 수 없는 수준의 버프.'

'언노운이 사제일리는 없어. 저 복장은 결국 눈속임.'

'사제라면 혼자서 그렇게 미쳐 날뛸 수가 없으니까.'

'흐응. 아오사를 잡았을 때 보여준 힘 스탯은 절대 사제의 것이 아니었어.'

'올힘을 찍은 미친 사제라면 가능하겠지만…… 그렇다면 신성력이 부족해지겠지.'

'하지만 언노운은 아오사를 잡을 때 신성력 소비가 큰 신성 사슬을 아끼지 않고 사용했어.'

'그 말은……'

그들은 머릿속에서 각자만의 결론을 내렸다.

대화 한마디 나누지 않았지만, 결과적으로 도출된 답은 똑같았다.

"소문이 사실이었군. 언노운은 히든 클래스의 성기사 유저였어."

"그게 아니라면 이 정도 수준의 버프는 말도 안 되지."

'사제가 그렇게 강할 리가 없는데!'

유저들의 뇌리에 뿌리 깊게 박힌 관념은 길드 마스터라고 다르지 않았던 것이다.

카이는 상황이 뜻대로 흘러가자 쾌재를 부르며 고개를 끄덕였다.

"예. 자세히 말씀드릴 수는 없지만 전 히든 클래스의 유저입니다."

"역시."

"그럼 그렇지."

"자, 잠깐만요! 그래도 이상해요!"

다른 마스터들이 모두 납득하며 상황이 끝나려는 찰나, 프레이의 마스터인 미네르바가 당황한 표정으로 항의했다.

"다들 아시겠지만 전 히든 클래스 사제예요. 그런데 어째서 성기사인 언노운이 저보다 버프 효과가 뛰어난 거죠?"

"그러고 보니……."

"잠깐, 그렇다면?"

마스터들이 다시금 의심 어린 눈빛을 보냈지만, 카이는 침착한 마음을 유지했다.

'여기서 말리면 망한다.'

마음을 독하게 먹은 카이는 그들을 설득할 생각을 했다.

본디 설득력이라는 건 말하는 자의 자신감에서 큰 영향을 받는 것.

카이는 곧장 자신의 자세를 바꾸었다.

스트레칭을 하듯 쭉 펴지는 허리!

드넓은 태평양처럼 쫙 갈라지는 어깨!

32도의 각도로 하늘을 향하는 턱!

그렇게 당당한 자세를 취한 카이가 입을 열었다.

"아시겠지만 히든 클래스 사이에도 격차가 존재합니다."

"그거야 알지만……."

"물론 저도 알아요. 히든 클래스로 전직하고 나서 그에 관해 수도 없이 조사해 봤으니까. 하지만 제 직업인 성녀는 히든 클래스 중에서도 상위권이라구요. 버프의 능력 차이가 이렇게 날 리가……."

"그럼 제 히든 클래스가 최상위권인가 보죠."

"……."

할 말을 잃게 만들어 버리는 카이의 논리였다.

하지만 직업 간의 우위는 서로의 스킬 등을 밝히지 않는 이상 가릴 수가 없다. 그렇다고 여기서 스킬을 비교할 수도 없는 노릇이고, 그럴 만한 상황도 아니었다.

"상식적으로 제가 사제면, 힘 스탯이 이렇게 높을 수야 있겠습니까?"

카이는 옅은 한숨을 내쉬며 자신의 애검, '강인한 의지의 롱소드'의 착용 제한만을 찍어 마스터들에게 공개하였다.

"호오. 들고 있는 검의 힘 제한이 500이나 되는 건가?"

"확실히…… 사제라면 절대 들 수 없는 수준의 검이야."

다시 납득하는 마스터들.

반론을 하지 못한 미네르바는 억울한 표정을 지으며 고개를 끄덕였다.

"그럼 혹시 직업의 이름이라도…… 알 수 있을까요?"

"아, 직업의 이름은……."

카이는 일말의 망설임 없이 자신이 알고 있는 최고의 성기사를 팔아먹었다.

"광휘의 성기사인 패트릭의 뒤를 잇는 영웅 등급의 직업입니다."

"광휘의 성기사라……."

그럴듯한 이름에 마스터들이 천천히 고개를 끄덕였다.

하지만 카이는 누구보다 그들을 잘 알고 있었다.

'지금 당장은 납득하는 척하지만, 이걸로 의심을 거둘 리가 없지.'

저들은 100% 마을로 돌아가는 즉시 패트릭이라는 이름을 찾아볼 것이다. 그리고 광휘의 패트릭이 실존했던 성기사였다는 것을 발견한 후에야 의심을 거둘 터.

'이것으로 저들은 태양의 사제에 관해선 알아낼 수 없어. 그가 사도였다는 건 교단 내에서도 극비로 취급될 테니까.'

자신만 해도 그에게 직접 듣기 전까지는 몰랐을 정도였다.

한 차례의 위기를 넘긴 카이는 옅은 한숨을 내쉬었다.

'후우. 이것으로 철혈 기사단과 엘프들의 생존력은 비약적으로 상승했어.'

굳이 리스크를 져가면서까지 천사들의 찬가를 사용한 이유는 간단했다. 바로 NPC들이 하나라도 더 살아남기를 바라는 마음에서였다.

두두두두두두두!

카이는 어느새 건너편의 운하 근처까지 진격해온 적들을 바라보며 입을 열었다.

"잡담은 여기까지. 이제 몸이 바빠질 차례입니다."

"이제 어떻게 할 생각이지?"

"간단합니다. 마법사들 앞으로!"

지시 한 번에 마법사 유저들이 앞으로 척척 걸어 나왔다.

그 수만 무려 200여 명!

"지금 당장 아이스 필드를 사용해 수로를 얼리십시오."

"흐응? 별로 좋은 생각 같아 보이진 않는데."

"운하를 얼리면 저 엄청난 수의 적군과 정면 대결을 펼쳐야 한다."

"그래요. 오히려 수상 대교. 그곳을 틀어막고 착실히 적들의 수를 줄여 나가야 해요."

길드 마스터들의 강한 반발이 이어졌다.

그들 모두가 전술, 지휘라면 나름의 일가견이 있는 이들.

하지만 카이는 자신의 고집을 관철했다.

"아까 분명히 말했습니다. 이건 제 전장이라고."

길드 마스터들을 바라보는 카이의 눈이 형형하게 빛났다.

"제 전장에 온 이상, 저를 믿고 따라주십시오."

수베르 운하는 그 폭이 넓은 만큼 깊이 또한 상당했다.

당연히 인간의 다리로 이를 건너는 것은 불가능하다.

때문에 그곳에는 수상 대교가 지어져 있었고, 모든 유저들은 그곳이 결전의 장소라 생각했다.

다리를 향해 달려오던 뮬딘 교의 군대도 마찬가지였다.

하지만 카이의 명령에 의해 상황이 바뀌었다.

쩌저저적! 쩌저적!

순식간에 얼어붙어 버린 수로.

모든 물을 얼음으로 바꿀 수는 없었지만, 적어도 웬만한 충격으로는 무너지지 않을 발판이 마련된 것이다.

"의심하는군."

"뮬딘 교 녀석들. 건너오질 않아."

뮬딘 교는 얼어버린 수베르 운하의 앞까지 도착했지만, 이를 쉽사리 건너지는 못했다.

무언가 꿍꿍이가 있을 것이라고 의심한 것.

눈을 반짝인 카이는 그때를 놓치지 않았다.

"잘됐네요. 저희 쪽에서 좋은 위치를 선점합니다."

딱딱한 얼음을 밟으며 운하 위로 올라간 카이의 대군은 순식간에 유리한 고지를 선점해 나갔다.

천 명이 넘는 인원이 올라섰음에도 불구하고 얼음은 무너질 기미조차 보이지 않았다.

'비록 아이스 필드의 특성상 이 위에선 이동 속도가 감소하지만……'

그건 적들도 마찬가지.

카이의 군대가 운하 위로 이동하자 다급해진 뮬딘 교도 서둘러 제1선을 내보냈다.

더 늦으면 불리한 위치에서 싸워야 한다는 것을 깨달은 것이다.

'일부만 보내고, 일부는 언덕에서 지켜볼 생각인가?'

나름 현명한 판단.

두두두두두!

뮬딘 교의 선봉대는 그 숫자만 무려 8천가량이었다.

1,400명인 카이의 군대와는 거의 여섯 배나 차이 나는 숫자였지만, 전쟁을 치르는 이상 군대의 격돌은 피할 수 없는 수순이었다.

콰득, 서걱!

첫 충돌로 양 쪽의 사상자만 무려 100여 명 이상이 발생했다.

하지만 시간이 갈수록 뮬딘 교의 군대가 점점 밀려났다.

다크엘프들을 향한 엘프들의 분노가 대단했기 때문이었다.

"죽어라, 부정한 힘을 좇는 이들이여!"

"어버이를 배신한 패륜아들!"

"자연이 그대들을 거부하리라!"

엘프들의 검술과 궁술은 군더더기 없이 깔끔하고 강했다.

하지만 그들의 진정한 무기는 따로 있었다.

"대지의 정령이여, 적들의 퇴로를 봉쇄하라!"

다름 아닌 정령!

자연친화력이 높은 엘프들은 계약을 통해 정령의 힘을 끌어낼 수 있었다.

'좋아. 기세가 정말 좋아.'

운하 위의 전투가 치열해지자, 카이는 허공을 향해 홀리 익스플로전을 쏘아냈다.

두두두두두!

그와 동시에 수상 대교를 건너는 50인의 기마대가 눈에 띄었다. 철혈 기사단이었다.

'운하 위에서 적들의 선봉대를 상대하고, 철혈 기사단이 적들의 본진을 꾸준히 괴롭힌다.'

적군의 정신을 쏙 빼놓는 전략.

게다가 철혈 기사단은 숫자는 적지만 절대 무시할만한 수준의 전력이 아니었다.

　콰아아앙!

　마치 성난 호랑이처럼 뮬딘 교의 본진에 난입한 그들은 양 떼를 도륙하듯 적들을 베어나갔다.

　"이곳에 놈들을 이끄는 주교가 있을 것이다! 놈만 죽이면 키메라의 제어력이 풀린다!"

　"바체 님의 명령이다! 주교를 찾아라!"

　"키메라의 제어가 풀리면 적군의 숫자가 크게 감소한다!"

　철혈 기사단은 주교를 죽이기 위해 끊임없이 적군 본진을 쑥대밭으로 만들며 돌아다녔다.

　"나이스! 역시 철혈 기사단!"

　"우리도 지지 마라!"

　"유저들의 힘을 보여주는 거다!"

　"이대로 밀어붙여!"

　"불패의 언노운이 우리와 함께한다!"

　수로에서는 마스터들의 격려와 외침이 끝없이 이어졌다.

　전투가 생각보다 수월하게 풀리자, 바짝 얼어 있던 유저들의 몸도 서서히 풀리기 시작했다.

　'이거…… 할 만한데?'

　'뭐야. 머릿수만 보고 대패할 거라 생각했는데, 의외로 비등

비등하잖아?'

'진짜로…… 사고 한번 치는 거 아니야?'

만약 이 전투에서 승리한다면, 역전의 용사라고 인터넷에서 추앙받을 것이 당연한 일. 유저들의 손속이 더욱 거세졌다.

"음. 좋아."

성공적인 양동작전에 카이의 입가로 미소가 지어졌다.

하지만 기쁨도 잠시, 전황이 급변하기 시작했다.

"이, 이단심판관들이다!"

"최소 레벨 250…… 미친! 350짜리가 있다고!"

"크윽. 암흑 사제와 성기사들이 그들의 가호를 받고 더욱 강해진다!"

뮬딘 교의 이단심판관. 다크엘프를 소모품으로 사용하던 그들이 마침내 모습을 드러낸 것이었다.

"뮬딘의 가르침을 거부하는 이들에게는 죽음을."

"역겨운 이교도들의 냄새가 코를 찌르는구나."

"뮬딘의 뜻에 따라 정화 작업을 시작한다!"

콰드드득!

그들의 검과 철퇴가 휘둘러질 때마다 유저들이 뒤로 튕겨 나갔다.

"너, 너무 강해!"

"젠장. 이단심판관 한 놈에 열 명, 아니, 스무 명씩 붙어!"

"이건 단순한 사냥이 아니다. 레이드 진형을 짜라!"

강력한 이단심판관들은 전쟁을 단숨에 끝내겠다는 기세로 유저들을 덮쳤다.

그 뒤를 따라 유저들을 공격하는 암흑 성기사들과 키메라, 다크엘프들!

카이의 눈앞으로 속속들이 메시지가 도착했다.

-산드로 : 어이, 언노운. 이건 못 버틴다!

-골리앗 : 젠장! 어째 일이 잘 풀린다 했더니……!

-발칸 : 언노운! 퇴각 지시를! 이대로 가다가는 전부…….

-언노운 : 아뇨. 더 버텨야 합니다.

카이는 자신을 재촉하는 마스터들의 외침에도 수로의 동쪽 만 쳐다보며 단호하게 말했다.

-캐서린 : 야! 여기서 어떻게 더 버텨? 지금도 방어만 하고 있는데 쭉쭉 밀리잖아!

-골리앗 : 저 미친년 말이 맞아! 지금은 잠시 후퇴를 하여 진형을 가다듬어야 할 타이밍이다!

-발칸 : 언노운. 이단심판들을 막아내려면 철혈 기사단을 불러들이는 수밖에 없다.

-언노운 : 철혈 기사단은…… 이곳에 합류하지 않습니다.

그들은 철저히 본진을 괴롭히며, 4천 명에 가까운 적들의 발을 묶어둬야 했다.

'오히려 지금 적들의 본진이 이단심판관들에게 가세하면 더욱 힘들어져.'

주교를 지키는 포위망은 더 견고해질 것이고, 이단심판관들도 안정적으로 공격해 올 것이다.

지금이야 뒤가 없다는 듯이 무식하게 돌격해서 그렇지, 저들도 나름 절박한 상황이다. 그만큼 철혈 기사단이 적들에게 안겨주는 불안감은 상상 이상이었다.

'여기선 무슨 수를 써서라도 버텨야 해.'

수베르 운하에 도착하자마자 미믹을 소환해 동쪽으로 보냈다.

그것은 다름 아닌 인어들을 위해서!

'적어도 인어들이 올 때까지는 이 운하 위에 적들을 붙잡고 있어야 해. 그렇다면……'

이럴 땐 큰 거 한 방이 필요하다. 순식간에 곤두박질치는 아군의 사기를 뒤집을 커다란 한 방이.

"……후우. 이번엔 좀 쉽게 가나 했더니."

군대를 지휘하며 상황을 관망하던 카이는 결국 머리를 긁으며 검을 뽑았다.

동시에, 그의 두 발이 유저들의 어깨를 밟으며 앞으로 달려 나가기 시작했다.

"악! 악! 어떤 새끼가……."

"어어?"

"언노운?"

촤아아아악!

순식간에 대열의 선두까지 이동한 카이는 미끄러운 얼음 위를 미끄러졌다.

동시에 그를 쏘아보는 이단심판관!

"으음……! 어찌 이리 역겨운 냄새가……!"

[이단심판관 LV. 350]

수로 위의 이단심판관 중 가장 레벨이 높고 강력한 녀석.

때문에 모든 아군이 두려움을 느끼는 상징적인 적.

카이는 망설임 없이 녀석에게 검을 겨누며 읊조렸다.

"미안한데, 좀 죽어줘야겠다."

아군의 승리를 위해서.

뮬딘 교의 이단심판관은 외형부터가 독특했다.

한 손에는 검, 그리고 다른 한 손에는 철퇴.

게다가 풀 플레이트 메일을 입고 있으며 그 위로 뮬딘 교의 사제복까지 함께 입고 있다.

화룡점정은 전신에서 줄기줄기 뿜어져 나오는 어둠.

그야말로 강렬한 포스를 자랑하는 녀석이었다.

"재미있는 소리를 하는군. 역겨운 이교도여."

카이의 말을 농담으로 치부한 이단심판관이 자신의 철퇴를 붕붕 돌렸다.

"하지만 한 번 내뱉은 말은 주워 담을 수 없는 법. 그 대가를 치르게 만들어주지. 뮬딘이시여! 지금 당장 이교도를 잡아 당신 앞에 바치겠나이다."

콰아아앙!

예고없이 휘둘러진 이단심판관의 철퇴는 카이 대신 얼음을 강타했다.

'빠르다.'

그리고 강하다.

쩌저저저적!

그들이 서 있던 두꺼운 아이스 필드에 균열이 생길 정도의 공격력. 저런 철퇴 공격이 바닥에 몇 번이고 꽂히면 얼음이 무너져도 이상하지 않을 지경이었다.

'그러니 그전에 끝내야겠어.'

어차피 카이는 이 군대의 지휘관. 아군의 사기를 끌어올리고, 전쟁 자체를 승리로 이끌기만 하면 된다.

그 말은 평소처럼 최전선에서 오랫동안 싸울 필요가 없다는 소리.

'속전속결.'

모든 힘을 퍼부어서 최대한 빠르게 처치한다.

목표를 세운 카이의 입이 속사포처럼 움직였다.

"신성 폭발."

[모든 스탯이 47 상승합니다.]

[플레이어의 레벨보다 높은 적을 상대하는 중입니다.]

[용맹한 전사 효과가 적용됩니다.]

[일시적으로 모든 스탯이 10 상승합니다.]

모든 스탯이 순식간에 57이나 상승하는 사기 스킬. 신성 폭발의 효과가 이렇게 폭발적으로 상승한 것은, 성환 페트라의 효과 덕분이었다.

'신성력을 소모하는 모든 스킬의 효과가 30% 증가하지.'

글렌데일의 성자, 화이트홀의 성자와 중첩하면 무려 55%나 증가한다는 소리.

이 말도 안 되는 효과는 비단 신성 폭발에만 적용되는 것이 아니었다.

이터널 레전더리 반지 하나로 인해 카이의 힘은 다른 차원에 올라섰다는 뜻이다.

"태양의 축복, 태양의 갑옷, 헤이스트, 블레스, 홀리 인챈트……."

[모든 방어력, 공격력, 속도, 능력치가 상승합니다.]
[무기에 성스러운 기운이 깃듭니다.]
…….

버프, 버프, 버프!

태양교의 신성력이 번쩍일 때마다 카이의 능력치는 비약적으로 상승했다.

"아아, 저렇게 역겨운 꼴을 지켜보고 있을 수는 없다!"

물론 이를 지켜볼 이단심판관이 아니었다.

아이스 필드를 미끄러지듯 달려온 그는 자신의 검을 내질렀다.

카이의 버프 스킬이 모두 시전된 것도 바로 그때.

휘이이이익!

허공을 가르는 빠르고 날카로운 검.

평범한 250레벨 유저라면 공격을 허용한 순간 생명력의 80%가 날아갈 무시무시한 공격이다.

하지만 카이는 표정 하나 변하지 않은 상태로 가볍게 걸음을 내디뎠다.

후우우웅!

동시에 전장에서 사라지는 그의 모습. 난전 속에서도 그 장면을 목격한 몇몇 이들의 눈이 커다래졌다.

'언노운이 사라졌다?'

'무슨 스킬이지? 태양교에 블링크와 비슷한 효과를 지닌 스킬이 있던가?'

'아니, 사라진 게 아니야⋯⋯.'

순식간에 이단심판관의 뒤에서 모습을 드러낸 언노운.

'그냥 빠르게 움직인 거다!'

'속도가 말도 안 되게 빨라서 그 움직임을 놓친 것뿐!'

'저런 속도가 나오려면 힘 스탯과 이동 속도 증가 버프의 수치가 대체 얼마나 되어야⋯⋯.'

유저들의 경악을 한 몸에 받은 카이의 검이 굉음을 토해내며 회전하기 시작했다.

"칼날 쇄도!"

콰드드득!

"커억, 마, 말도 안 되는!"

등 뒤에서 쏟아진 불의의 일격에 이단심판관이 비명을 내질렀다.

350레벨인 자신이 따라잡지 못할 정도의 속도라니?

하지만 더욱 두려운 것은 비단 속도만 빠른 것이 아니라는 점이었다.

'칼날 쇄도 한 번에 생명력 18%라? 괜찮네.'

상식이라는 것이 통용되지 않는 언노운의 공격력. 이 상황에서 가장 고통스러운 건, 이단심판관 본인이었다.

"크으윽…… 부정한 힘이…… 내 몸에 들어온다…… 뮬던이시여!"

뮬던 교의 유일한 카운터라고 칭할 수 있는 것이 바로 태양교의 신성력이다. 그 기운이 덕지덕지 묻어 있는 카이의 공격력이 약할 리 없었다.

더군다나 현재 그가 지닌 버프만 무려 십여 개.

'신성력은 초마다 미친 듯이 빠지지만…….'

그 페널티를 즐겁게 받아들일 정도로 강력한 힘이 넘쳐흐른다!

그 사실이 카이를 더욱 과감하게 만들어주었다.

'녀석의 공격은 눈에 훤히 들어와.'

이단심판관의 손에서 붕붕 돌아가는 철퇴가 느릿느릿하게 보일 지경.

"죽어라!"

철퇴가 날아온다. 노리는 것은 급소인 심장.

카이는 제 자리에서 한 발자국을 옆으로 물러나면서, 철퇴의 사슬 부분을 붙잡았다.

"……!"

놀라는 이단심판관을 쳐다보는 카이는 주변의 시선을 의식했다.

'내가 여기서 보여줘야 할 건 치열한 전투 따위가 아니야.'

커뮤니티에 올릴 영상이라면 오히려 전투를 치열하게 하는 것이 좋았다.

그만큼 시청자들은 자신의 전투에 더욱 몰입을 할 테고, 이겼을 때 카타르시스를 느낄 테니까.

하지만 전장에서 그런 치열함 따위는 의미가 없었다.

'좋은 전장은 승리한 전장뿐이지.'

자신들의 지휘관이 강적을 압도적으로 처치했다는 사실.

아군의 떨어진 사기를 단번에 역전시킬 수 있는 건 그런 임팩트 있는 사실뿐이었다.

그 때문에 카이는 이단심판과의 정면 승부를 택했다.

'정면에서 쳐부순다!'

카이의 왼손이 그대로 놈의 철퇴를 잡아당겼다.

"크윽!"

그대로 딸려오는 이단심판관!

카이가 아군의 사기를 어깨 위에 짊어졌듯, 녀석 또한 마찬가지였다.

무기를 빼앗기는 꼴사나운 모습을 보여줄 수는 없었다.

'하지만 넌 자존심보다, 실리를 택했어야 했다.'

카이의 오른쪽 어깨가 뒤로 쭈욱 늘어났다.

사람의 몸이라기보다는, 고무줄이나 활대를 보는 듯한 유연한 몸. 한계까지 당겨진 그의 어깨는 이단심판관이 자신에게 다가오는 타이밍을 맞춰, 주먹을 포탄처럼 쏘아냈다.

콰아아아앙! 우지지직!

이단심판관의 투구가 그대로 찌그러지며 허공으로 날아올랐다. 동시에 코에서 코피를 줄줄 흘려대는 이단심판관의 얼굴이 세상에 공개되었다.

"커, 커어어……."

카이의 공격은 거기서 끝나지 않았다.

그는 정신을 차리지 못한 녀석의 멱살을 왼손으로 거칠게 붙들었다.

그리고 이어지는 포탄!

콰앙, 콰앙, 콰앙!

그것은 이미 각 군대의 사기를 결정지을 치열한 사투 따위가 아니었다.

철저한 폭력. 카이는 아군의 사기를 높이고, 적군의 사기를 찢어버리기 위해 검 대신 주먹을 사용했다.

'이 편이 더욱 원시적이고, 폭력적이며 직관적이지.'

콰드득!

카이의 마지막 공격이 이단심판관의 얼굴에 처박혔다.

생명력이 바닥이 나버리고 폴리곤이 되어 사라지는 이단심판관.

그 모습을 쳐다보던 카이는 검을 높게 치켜들었다.

"이단심판관은 레벨만 높은 머저리에 불과합니다! 이 전투, 저희가 이길 수 있습니다!"

"와아아아!"

"언노운이 우리와 함께한다!"

"언노운은 혼자서 가장 강한 이단심판관을 해치웠다. 우리도 어서 모여서 놈들을 처치해!"

"죽여 버려!"

길드 마스터들은 카이가 만들어낸 기회를 놓치지 않았다.

속내는 아니꼬울지라도, 그의 위업을 입 밖으로 쏟아내며 아군의 사기를 진작시켰다.

'이것으로 내 역할은 끝.'

카이는 초조한 표정으로 동쪽을 쳐다보았다.

이미 시간은 충분히 끌었다.

그런데도 인어들이 나타나지 않는다는 건…….

'설마 내 계획이 실패한 건가?'

그야말로 최악의 시나리오!

물론 지금 당장에야 아군의 사기가 높아 적들을 몰아세우고 있다지만, 시간이 흐를수록 압도적인 머릿수가 지닌 강점이 두드러질 것이다.

그래서 카이는 이 전쟁을 하루가 지나기 전에 결판내고 싶었다.

'그러기 위해서는 인어들의 도움이 절실해.'

미믹으로 드래곤을 흉내 내지 않는 이상, 800여 명의 인어들을 한 번에 데려오는 건 불가능하다.

그랬기 때문에 카이가 구상했던 계획은…….

우르르.

한창 전투가 벌어지고 있는 아이스 필드 위에서 별안간 진동이 느껴졌다.

"뭐지?"

"지진인가?"

유저들이 고개를 갸웃거리며 어리둥절하고 있을 때, 카이의 얼굴에 화색이 돌기 시작했다.

'왔다!'

지금 느껴지는 진동이야말로 미믹이 가까워졌다는 증거다.

카이는 곧장 목청을 높여 소리쳤다.

"모두 퇴각하십시오! 아이스 필드를 벗어나 비르 평야의 기슭까지 되돌아가는 겁니다!"

"으, 응?"

"대체 무슨 소리를? 지금 이 기세를 살리지 못하면 시간이 흐를수록 아군이 불리해진다!"

"현재 전황은 아군에게 압도적으로 유리해요! 지금 이 상황에서 후퇴할 이유가⋯⋯."

모두가 카이의 명령에 의문을 품고 있을 때, 다크엘프의 심장에 검을 박아 넣은 설은영과 카이의 눈이 마주쳤다.

'은혜는 이 전장에서 확실하게 갚겠다고 정했어.'

다음 순간 설은영은 검을 갈무리하며 소리쳤다.

"천화는 지휘관의 명에 따라 퇴각한다!"

"퇴로 확보!"

"퇴로 확보되었습니다! 퇴각합니다!"

천화가 담당하던 쪽의 전선이 뚫려버리자, 다른 길드 마스터들이라고 뾰족한 수는 없었다.

"젠장! 도무지 이해할 수가 없다니까! 타이탄! 후퇴한다!"

"워리어스도 전선을 뒤로 물린다."

"프레이 여러분, 모두 후퇴하세요!"

"한창 좋았는데 왜 저런데? 리미트리스도 퇴각!"

카이가 이단심판관을 압도적으로 처부수자 밀물처럼 돌진하던 군세는, 그의 명령 한 번에 썰물처럼 빠져나왔다.

주춤, 주춤.

상대하던 적들이 한 번에 빠져나가자 어찌할 바를 모르는 뮬딘 교의 군세들!

명령을 내려야 할 이단심판관들은 이미 사냥당했고, 본진은 철혈 기사단에 묶여 명령을 내려줄 상황이 아니었다.

결국 그들이 택한 것은 도망치는 적들의 꼬리를 붙잡는 것이었다.

'걸렸다.'

씨익 미소를 지은 카이는 아군이 비르 평야의 기슭 위로 올라오는 것을 확인하는 것과 동시에 오른손을 높이 들어올렸다.

"미믹! 지금이다!"

외침과 함께 폭죽이라도 터진 것처럼 전장의 모두가 들을 수 있는 굉음이 터져 나왔다.

콰아아아아아앙!

수베르 운하의 한쪽 벽면이 터지며 새로운 물줄기가 튀어나온 것이었다.

그 상황을 만든 존재는 다름 아닌 미믹이었다.

'그것도 보통의 미믹이 아니지.'

카이는 미믹의 늠름한 모습을 보며 만족스러운 표정을 지었다.

[미믹 - 굶주린 킹 샌드 웜]

[등급 : 일반 몬스터]

[레벨 : 195]

[생명력 : 104,500]

[능력치]

힘 : 400 / 체력 : 1045

지능 : 110 / 민첩 : 150

-미믹이 킹 샌드 웜을 흉내 내고 있습니다.

-소환수의 등급에 따라 킹 샌드 웜의 능력치가 추가로 상승합니다.

-미믹은 킹 샌드 웜을 완벽하게 이해하고 있습니다.

-미믹은 킹 샌드 웜의 모든 스킬을 흉내 낼 수 있습니다.

-굶주린 상태의 킹 샌드 웜을 흉내 내고 있습니다. 아무리 먹어도 배가 쉽게 차지 않습니다.

킹 샌드 웜! 그것은 카이가 지그문트 사막에서 마주친 순간 박수를 쳤던 몬스터였다.

'이 녀석이다!'

당초 목적은 지그문트 사막의 대형 몬스터 한 마리를 흉내 내서 800여 명의 인어들을 수베르 운하로 실어 나르는 것이었다.

하지만 킹 샌드 웜을 마주친 순간, 그 계획은 폐기되었다.

'킹 샌드 웜은 내가 예전에 상대했던 웜 리자드와 비슷해.'

다른 점이 있다면, 더 레벨이 높고 덩치도 크며, 이빨이 단단하다는 것뿐.

65레벨의 웜 리자드조차 산을 먹어치워 자신의 스위트홈을 만들 정도였다.

그렇다면 킹 샌드 웜이라면?

'수로와 바다 사이의 돌을 먹어치워 길을 뚫는 건 일도 아니겠지.'

실제로 미믹은 그 일을 훌륭하게 해냈다.

'개발자들의 노력이 이렇게 한순간에 물거품이 되는구나.'

게임에서 몬스터들이 특정 지역에 서식하고 있는 이유는 간단하다. 바로 변수를 차단하기 위해서.

생각해 보라. 만약 용암 지역에서 서식하는 라바가 멋대로 이동해서 숲으로 들어간다면? 반대로 화염의 정령이 바다로 기어들어 가서 죽어버린다면?

개발자 입장에서는 난처할 수밖에 없다. 그래서 그들은 몬스터의 서식지를 어느 정도 고정해 두었다.

'한마디로 킹 샌드 웜은 영원히 지그문트 사막에 묶여 있어야 할 존재지.'

하지만 미믹이라면 다르다.

미믹은 대상을 흉내 내는 것뿐. 본질 자체는 카이의 사랑스러운 펫. 자유를 구속받지 않는 존재였다.

"후, 후퇴…… 후퇴하라!"

미믹이 수로를 뚫고 나오자 불안함을 느낀 뮬딘 교의 군대가 서둘러 아이스 필드를 돌아가기 시작했다.

'하지만 이미 늦었어.'

미믹이 뚫어놓은 굴. 그곳에서 뿜어져 나온 물줄기는 수베르 운하의 물이 아니었다.

콰아아아아!

쏟아지는 물줄기로, 인간을 닮은 이들이 끊임없이 쏟아져 나왔다.

"저게 뭐야…… 인간……?"

"아니, 하체가 지느러미잖아?"

"그 말은……."

"인어!"

유저들이 입을 쩍 벌리며 당황했다.

뒤이어 호탕한 웃음소리가 전장에 널리 울려 퍼졌다.

"으하하하하! 나의 백성들이여! 영웅을 도와 추악한 뮬딘 교의 군대를 쓸어버려라!"

인어족의 왕. 카리우스가 가볍게 손을 휘두르자, 수베르 운하의 물이 요동치기 시작했다.

요동치던 물은 해일이 되어 아이스 필드를 건너던 뮬딘 교의 군대를 덮쳤다.

찌저저적! 콰아아아아앙!

장난감처럼 조각나는 아이스 필드!

인어들은 각자의 무기를 빼든 채, 물에 빠진 뮬딘 교의 군대
를 사냥하기 시작했다.

사람들은 항상 자연을 정복하고 싶어했다.

라이트 형제가 하늘을 정복하고자 비행기를 만들었고, 밤
이 내린 어둠을 정복하기 위해 전구가 만들어졌듯이.

하지만 세계의 그 어떤 기술력도 해일과 같은 자연재해를
정복할 수는 없었다.

미드 온라인에서도 마찬가지였다.

"꼬르륵!"

"어푸, 어푸!"

"커어억……!"

뮬딘 교의 군대가 물에 빠져 허우적댔다.

그 수만 물경 7천에 육박하는 대군이었다.

뮬딘 교 군대의 절반이 넘는 엄청난 물량은 운하에 빠져 비
에 젖은 생쥐 꼴이 되어버렸다.

"이거 원, 전쟁이라고 해서 나름 각오를 했건만……."

"평소에 음식 구하러 다니던 것과 별반 차이도 없잖아?"

"아쿠아베라를 멸망시키려던 원흉!"

인어족의 전사들은 마법에 능수능란하며, 나가족에 대응하기 위해 검과 삼지창 등의 무기술 또한 연마했다.

전투력만큼은 발군이라는 뜻.

게다가 그들은 물속을 자유롭게 헤엄칠 수 있었으니, 뮬딘 교의 입장에서는 죽을 맛이었다.

조각난 아이스 필드 위에서 고군분투를 해보았지만, 인어들의 공격에 하나둘씩 물에 빠져 익사를 당하는 뮬딘 교의 군대.

그 모습을 조용히 관망하던 카이는 고개를 끄덕였다.

'역시 아인종은 강해.'

엘프는 궁술과 정령술. 인어는 마법과 무기술.

인간들이라면 고작 하나 배우고 말법한 힘들을 두 개씩이나 배우고 있다.

그뿐인가? 인어들은 물속에서, 엘프들은 숲에서 절대적인 힘을 발휘한다.

'아인종들과 친근한 관계를 맺은 건 정답이었어.'

그런 생각을 하는 건 자신뿐만이 아니었다. 이미 10대 길드의 마스터들은 인어들의 활약에 눈이 휘둥그레진 상태.

"설마…… 온다던 지원군이 인어족일 줄이야……!"

"인어족 녀석들, 말도 안 되게 강하잖아?"

"철혈 기사단, 엘프에 이어 인어족까지…… 대체 뭐 하는 놈이지?"

까면 깔수록 무언가 나오는 양파 같은 남자, 언노운!

고개를 절레절레 흔든 발칸이 그에게 다가왔다.

"이제 인어들을 도와 적들을 처치하면 되는 건가?"

"아니요. 인어족 전사 800명이면 저들을 묶어두기엔 충분해요. 그러니……"

척! 손을 들어 올린 카이가 대교를 가리켰다.

"저희는 곧장 다리를 통해 건너편으로 건너가서 철혈 기사단과 합류합니다."

본진 타격! 머리를 잃어버린 조직이 와해된다는 것은 전쟁의 기본적인 상식.

카이는 이 기세를 몰아 단숨에 주교를 처치할 심산이었다.

"과연, 물에 빠진 뮬딘 교의 군대를 인어들이 묶어두고……"

"그사이에 본진을 공격한다."

"심지어 이제 저쪽 본진의 숫자는 4천 정도밖에 안 돼."

"반면 이쪽의 전력은 처음과 비슷하고……"

"거기에 철혈 기사단까지 가세하면?"

할 수 있다!

카이는 이단심판관을 쓰러뜨려 아군의 사기를 북돋웠다.

하지만 그건 승리할 수 있을 것이라는 확신까지 심어주기에는 턱없이 모자란 행위였다.

"이길 수 있습니다."

지금은 다르다. 승리가 눈앞으로 다가온 것이다.

카이는 힘차게 손을 들어 명령했다.

"전군, 다리를 건너 적 본진의 배후를 치십시오!"

철혈 기사단이 난리를 치고 있는 적의 본진은 그들에게 온통 신경을 쏟아붓는 상태. 그 와중에 엘프와 유저들의 군대가 다리를 건너기 시작하자, 뮬딘 군은 크게 당황했다.

"주교님! 적들의 군세가 다리를 건너 저희의 배후를 노리는 중입니다!"

"뭣이……! 그럴 리가! 그들을 상대하던 아군은 모두 어디로 갔느냐!"

"그들은 인어들의 술수에 걸려 꼼짝도 할 수 없는 상황입니다!"

"이, 이런…… 수치스러운!"

전략적으로 패배를 당하다니!

지휘관의 역량이 적에게 압도당했다는 말이나 다름없다.

주교의 입장에서는 수치스러울 수밖에 없는 상황.

아랫입술을 꽉 깨문 주교에게 세 명의 이단심판관들이 다가왔다.

"주교님! 상황이 너무 불리합니다!"

"결단을 내리셔야 할 시기입니다."

"어서 지시를!"

퇴각이냐, 강행돌파냐.

선택의 기로에 선 주교는 한숨을 내쉬며 입을 열었다.

"패잔병 따위가 되어 본교로 돌아갈 수는 없지. 아군에게 명한다. 어둠의 정수를 복용하라!"

어둠의 정수. 복용하면 이지가 상실되고, 폭력적으로 변하는 대신 압도적인 힘을 얻게 되는 물건.

주교는 아군에게 그러한 정수를 복용할 것을 요구했다.

일반인들이라면 당연히 미친 거 아니냐고 소리치며 거절하겠지만…….

"뮬딘 교의 앞날에 영광 있으라!"

"뮬딘 교의 앞날에 영광 있으라!"

이들은 철저한 사이비 광신도들!

자신의 이지가 파괴되건 말건, 주교의 명이 떨어지자 4천여 명의 군세는 모조리 어둠의 정수를 제 입에 털어 넣었다.

동시에 여기저기서 들려오는 신음.

"꺼…… 커어억!"

"뮤, 뮬딘께서…… 오신다. 나에게 오셔!"

"크…… 크르르!"

고통에 몸부림치는 이들의 눈이 뒤집어지며 흰자가 드러났다.

철혈 기사단이 이변을 느낀 것도 그때쯤.

바체는 갑자기 이상 증세를 보이는 적들을 베어 넘기며 심각한 표정을 지었다.

'이건…… 보고서에 쓰여 있던 어둠의 정수를 복용한 몬스터들의 증상과 비슷하다.'

이성을 잃고, 고통도 쉽게 느끼지 못하며, 막강한 힘을 얻게 되는 금단의 술법. 마찬가지로 이상함을 감지한 철혈 기사단들이 바체의 곁으로 황급히 모여들었다.

"단장님. 이 녀석들 뭔가 이상합니다."

"갑자기 강해졌어요. 게다가 제 몸을 아끼지 않고 공격만 퍼붓는 저 모습은……."

"어둠의 정수. 그것을 복용한 것 같군."

바체의 빠르고 정확한 판단에 정의로운 기사들은 분노했다.

"설마 아군에게 그 저주받은 힘을 복용시켰단 겁니까?"

"이 잔악무도한……!"

"잊지 마라. 우리가 상대하고 있는 이들은 퓰딘 교. 수단과 방법을 가리지 않고 악신을 믿는 광신도 집단이다."

옅은 한숨을 내쉬는 바체에게 카이와 군대가 다가왔다.

"바체님. 무슨 일이라도 있으십니까?"

옹기종기 모여 뒤로 물러나있는 기사단을 쳐다본 카이가 물었다.

"적들이 어둠의 정수를 복용했다. 압도적으로 강해졌어."

"어둠의 정수……!"

"설마? 저들 모두가 그걸 먹었단 말입니까?"

"지금까지 그걸 먹고 정신을 유지했던 이는 약탈자들의 왕, 베이거스 밖에 없었는데……."

그건 길드 마스터들조차 깜짝 놀랄 정도의 소식이었다.

그들도 모두 어둠 추적자에 소속되어 다들 어둠의 정수 한두 개씩은 모아봤던 이들. 이를 복용한 몬스터들이 얼마나 포악하고 사나워지는지는 누구보다 잘 알고 있었다.

"음……."

가만히 적들을 살펴보던 카이가 입을 열었다.

"바체님. 어둠의 정수를 복용한 이들은 이지를 상실하는 것 맞죠?"

"내가 알기로는 그렇다."

"그런데 뮬딘 교에서는 어떻게 저들을 통제할 수 있는 거죠?"

"아마 주교 때문이겠지. 저길 봐라."

바체가 가리키는 곳에는 어둠의 힘을 줄기줄기 뿜어내는 뮬딘 교 주교의 모습이 보였다.

"그럼 주교만 해치우면 오합지졸이라는 소리 아닙니까?"

"맞다. 하지만 그게 불가능한 상황이지. 왜냐하면……."

"주교를 지키는 군대가 너무 강력하니까. 맞습니까?"

"잘 아는군."

피곤하다는 표정으로 고개를 끄덕인 바체는 카이를 쳐다

봤다.

'또 무슨 짓을 하려고……'

어디로 튈지 모르는 이 모험가의 목소리가 생각보다 훨씬 밝았기 때문이다.

그리고 그런 그의 예상은 빗나가지 않았다.

"그럼 주교는 저에게 맡겨주시고 철혈 기사단은 아군을 보호하면서 천천히 퇴각해 주세요. 피해만 최소화하시면 됩니다."

"잠깐, 말했다시피 저들의 군대를 뚫고 주교만 상대하는 건 불가능……"

"저에게 생각이 있습니다."

짧게 대꾸한 카이는 곧장 수베르 운하 쪽으로 달려갔다.

"어디 보자……"

고개를 돌리며 무언가를 찾던 카이가 밝은 목소리로 손을 흔들었다.

"미믹! 이쪽!"

퉤에에에!

주인의 부름에 씹고 있던 암흑 사제를 그대로 뱉어내는 킹 샌드 웜!

카이는 가까이 다가오는 미믹의 거대한 입으로 들어가면서 명했다.

"미믹, 땅 좀 파자."

덜덜덜. 덜덜덜.

뮬딘 교의 주교는 신경이 잔뜩 예민해져 있는 상태였다.

'어둠의 정수를 복용하면 이지를 상실하게 돼. 내가 끊임없이 어둠의 힘을 뿜어내 줘야만 저들이 내 명령을 듣는다.'

뮬딘 교의 오랜 연구에도 불구하고, 아직 사람에게 어둠의 정수를 먹이는 건 불완전했다. 유일한 성공 사례였던 베이거스 때조차 사전에 다양한 준비를 하고, 개량된 어둠의 정수를 먹였기에 간신히 성공한 것이다.

덜덜덜. 덜덜덜.

'하지만 이 강력한 군대와 함께라면 이 전장의 판도를 뒤집을 수도 있…… 아니, 근데 이 진동은 대체?'

주교는 아까부터 계속 발밑에서 느껴지는 진동에 인상을 찌푸렸다.

날카로운 신경 때문인지, 계속해서 거슬리는 진동.

"비르 평야의 지반이 약하다는 소리는 못 들었는데. 이런 때에 지진이라니…… 잠깐, 지진?"

무언가를 떠올린 주교의 눈이 의심에 잠겼다.

지금 느껴지는 진동이 아까 전 수베르 운하의 벽이 뚫릴 때 느끼던 것과 비슷했기 때문이다.

'아니, 아까와는 다르다. 아까는 조금 더 약했지만…….'

지금은 온몸이 덜덜 떨릴 정도로 강력하다는 것이 유일한 차이.

"설마……!"

불길한 예감이 떠오른 순간, 주교가 딛고 있던 바닥이 그대로 무너졌다.

"크아아아아악!"

두 다리를 지탱할 땅이 사라지자 주교와 암흑 성기사들이 밑으로 떨어졌다.

하지만 그들을 기다리는 건 딱딱한 바닥이 아니었다.

"크윽…… 여긴?"

축축하고 미끌거리는 액체가 그들의 온몸을 뒤덮었다.

동시에 앞쪽에서 느껴지는 사람의 음성.

"으음. 역시 한 놈만 빼 오는 건 힘드네. 킹 샌드 웜은 입이 너무 커."

"네, 네놈은?"

정신을 차린 주교가 곧장 어둠의 힘을 끌어올렸다.

저 음성은 적군의 선봉에서 엘프와 철혈 기사단을 부리던 적장의 것!

주교의 음성이 암흑 성기사들을 일깨웠다.

"암흑 성기사들은 저놈을 매우 쳐라!"

쇄애애액, 솨아아악!

묻지도, 따지지도 않고 심장과 머리를 향해 날아드는 두 자루의 검.

'쉽지는 않겠어.'

하나도 아니고, 무려 네 명의 암흑 성기사들. 주교를 지근거리에서 호위할 정도니 정예 중의 정예 성기사.

실제로 그들의 레벨은 각각 300 정도, 낮지 않았다.

'하지만 이놈들만 잡으면……'

주교는 자신의 손에 떨어진다.

몸을 가볍게 흔들어 이를 피해낸 카이의 손이 벼락처럼 움직였다.

서걱, 서걱!

그의 손에서 펼쳐진 섬광 같은 일격!

한 번 기회를 잡은 카이의 공격은 절대 멈추지 않았다.

'왼쪽 종아리, 오른쪽 어깨, 그리고 위쪽에서 정수리를? 뒤쪽에서는 내 아킬레스건을 노리는군!'

무술가들이 가끔씩 겪게 된다는, 모든 신경이 전투에만 쏠리는 경지. 무아지경(無我之境).

자신도 모르게 그러한 상태에 빠진 카이의 눈에는 적들의 공격이 훤히 보였다.

당연히 눈에 보이는 공격을 맞아줄 카이가 아니었다.

스윽.

'적들의 공격은 피하고.'

서걱!

'내 공격은 맞춘다!'

단순하지만, 그 무엇보다 효과적인 전투 방법이었다.

카이의 검은 잔잔한 소낙비처럼 적들의 방어구에 흠집을 내기 시작했다.

하지만 소낙비는 점점 굵은 빗줄기가 되더니, 이내 폭우가 되었다.

'흐름이 이쪽으로 넘어왔다.'

콰드드득, 콰드득!

카이가 몸을 움직일 때마다 어김없이 적들의 검은 허공을 갈랐다.

동시에 그가 손을 움직일 때마다, 어김없이 격파되는 적들의 방어구!

콰지지지직!

카이의 검은 날카로운 검격이라 불리기에는 무리가 있었다.

실제로 암흑 성기사들의 방어구는 검에 베였다기보다는, 찢겨나갔다는 표현이 어울릴 정도.

그 정도로 투박하고 거친 공격을 쉴 새 없이 휘두른 카이의 눈앞으로, 메시지가 떠올랐다.

띠링!

[전투에 모든 정신을 집중하여 적의 모든 공격을 100회 이상 피해냈습니다.]

[전투에 모든 정신을 집중하여 적의 급소를 100회 이상 공격했습니다.]

[여명의 검법 스킬의 숙련도가 대폭 상승합니다.]

[여명의 검법 스킬의 레벨이 오릅니다.]

[여명의 검법 스킬의 랭크가 고급으로 상승합니다.]

쿠우웅!

"허억, 허억······."

마지막 성기사의 몸이 바닥에 쓰러져 폴리곤이 됨과 동시에 상승하는 스킬 숙련도. 중급 9레벨이던 여명의 검법 스킬이 드디어 고급이 된 것이었다.

턱밑까지 차오른 숨을 몰아쉬던 카이가 자신의 두 손을 쳐다봤다.

'······어떻게 싸웠더라?'

몽롱하다고 표현해야 할 정도로 정신없이 싸웠다.

자신이 어떻게 움직였는지, 기억이 나지 않을 정도.

하지만 한 가지만은 확실했다.

"내가 이겼네."

저도 모르게 미소가 그려지는 상황에서, 주교의 경악에 찬 목소리가 들려왔다.

"마, 말도 안 되는…… 어찌 모험가 따위가 암흑 성기사를 네 명이나……?"

믿기지 않는 상황에 고개를 흔들며 현실을 부정했다.

네 명의 암흑 성기사가 쓰러지기까지 걸린 시간은 정확히 4분 35초. 상식선에서는 절대 일어날 수 없는 일이었다.

"나도 다시 하라고 하면 못 할 거야."

카이는 지친 몸을 이끌고 주교에게 다가갔다.

그가 피곤한 티를 팍팍 내자, 슬며시 자신감을 되찾은 주교가 입을 열었다.

"지쳐 보이는군. 이교도 모험가여."

"맞아. 조금 지쳤지."

"그런 상태로 뮬딘 교의 주교인 나를 상대할 수 있다고 생각하는 건가? 오만이다."

대꾸할 힘도 없는 카이는 지친 표정으로 주교를 쳐다봤다.

[뮬딘 교 주교 LV. 427]

'거, 레벨만 더럽게 높아 가지고.'

물론 이 게임은 레벨이 깡패이고, 절대적인 것이 맞다.

그리고 지금 자신의 상태가 주교를 상대할 수 없는 것도 부정할 수 없는 사실이다.

하지만……

"난 혼자서 상대하겠다고 한 적 없는데."

"뭐, 뭐라고?"

툭툭.

카이가 미믹의 혓바닥을 발로 차자, 미믹이 그 거대한 몸을 움직이기 시작했다.

목적지는 당연히 철혈의 기사단이 위치한 본진.

"이런 비겁한!"

상황을 파악한 주교가 공격을 퍼부었으나, 카이는 그 공격들을 모조리 맞으면서 버텨냈다.

"햇살의 따스함, 햇살의 따스함."

이윽고 미믹이 멈췄을 때, 카이는 싱긋 웃으며 작별을 선고했다.

"목적지에 도착하셨습니다. 목적지는 지옥, 지옥입니다."

전쟁의 끝을 알리는 한마디였다.

+ 51장 +
전쟁이 끝나고

　승리를 많이 겪어본 자들, 각종 스포츠의 황제로 군림하는 이들은 하나같이 입을 모아 말한다.

　이 세상에서 가장 달콤한 마약이 있다면, 그것이 바로 승리일 것이라고.

　평소에 그게 뭔 개소리냐고 생각하던 카이는, 지금 이 순간 그들의 심정을 백분 이해했다.

[전쟁에서 승리하셨습니다.]

[훌륭한 지휘로 큰 피해 없이 대승을 이끌어냈습니다.]

[레벨이 올랐습니다.]

······.

[12,000의 전쟁 공적을 획득했습니다.]

[아인종들을 위해 태양교의 이름으로 뮬딘 교를 무찌른 이 일화는 전 대륙에 널리 퍼질 것입니다.]

[명성이 10,000 상승합니다.]

[위엄이 20 상승합니다.]

[당신의 전투를 모두 지켜본 태양신 헬릭이 엄지를 치켜듭니다.]

[선행 스탯이 10 상승합니다.]

[1,500명 이상의 NPC를 통솔하셨습니다. 스페셜 칭호, '최초의 지휘관'을 획득하셨습니다.]

······승리하셨습니다.

그 문장을 보는 순간, 한시도 긴장을 늦출 수 없었던 맥이 탁하니 풀렸다.

"괜찮나?"

쓰러지는 카이를 부축하는 바체. 잠시 그의 어깨를 빌리던 카이는 피곤한 목소리로 고개를 끄덕였다.

"감사합니다. 갑자기 다리에 힘이 풀리네요."

"전쟁은 처음인가보군."

씁쓸한 미소를 지어 보인 바체가 카이의 어깨를 두드렸다.

"피할 수 없다면 익숙해지는 것이 좋을 거야."

"글쎄요. 제가 이런 전쟁을 언제 또 하게 될지······."

"정말 그렇게 생각하나?"

눈을 깜빡이던 바체가 안쓰러운 표정으로 그의 어깨를 한 번 더 두드렸다.

"이번에 우리가 무찌른 적은 뮬딘 교일세. 앞으로 조금 피곤해질 거야."

"저, 저만요?"

"물론이지. 자네가 지휘관이니까."

"……."

권리만 쏙 받는 줄 알았더니, 쫄래쫄래 따라온 의무와 책임!

하지만 그런 것들은 젖혀두더라도, 보상의 물결은 카이를 기쁘게 만들었다.

'위엄, 명성, 선행 골고루 올랐고, 스페셜 칭호 하나에 레벨도……'

즐거운 표정으로 레벨을 확인하던 카이의 얼굴이 순식간에 굳어졌다.

'레, 레벨이 32나 올랐다고?'

말 그대로 기겁할 만한 수치. 아군이 적들을 잡으며 누적된 경험치와 승리 보상 경험치가 한 번에 들어온 것이다.

이로써 카이의 레벨은 285.

'잠깐만, 랭킹 1위인 유하린의 레벨이 분명……'

랭킹 표를 띄운 카이는 기절할 것 같은 심정에 황급히 이를 꺼버렸다.

[Rank No. 1. 카이 LV. 285]
…….

'……나잖아.'

안 그래도 근래에 버그 플레이어로 악명이 자자하던 이름이다. 한데 이번에 레벨이 32개나 오르며 미드 온라인 레벨 랭킹 1위의 자리를 차지해 버렸다.

바보 머저리가 아닌 이상 카이의 정체를 유추해 낼 수 있을 터.

'비르 평야의 전투가 끝남과 동시에 폭업을 해버렸으니…… 이건 눈치챌 수밖에.'

실제로 등 쪽에서 느껴지는 유저들의 시선은 따갑다 못해 아플 정도였다.

'아쉽지만, 이렇게 된 이상 이후의 일을 생각해야 돼.'

자신이 사제라는 점을 숨긴 가장 큰 이유는 힘 있는 자들에게 이용당하지 않기 위해서였다.

'하지만 이제 누군가에게 휘둘릴 만큼 나약하지는 않아.'

오히려 자신을 건드리는 순간 치명상을 입힐 수 있는 날카로운 이빨을 갖추었다.

이런 때일수록 더욱 당당한 모습을 보여줘야 할 때.

카이의 머리가 빠르게 굴러가기 시작했다.

'이런 비밀이 어차피 공개될 거라면……'

소문이 퍼져서 모두가 알기보다는, 자신의 입으로 공개하는 것이 훨씬 더 파격적이다. 게다가 생각해 보니 나쁜 부분만 있는 건 아니었다.

'내가 카이의 나쁜 짓을 하고 다닌 건 아니잖아?'

오히려 그 반대. 착한 일만 주구장창 하고 다녔다.

디스패치의 기자가 따라다니다 울면서 집에 갈 수준의 청렴 결백함. 언노운의 이름에 득이 되면 되었지, 실이 될 이유는 하등 없었다.

'아리스라고 했나.'

오크 로드 토벌대에서 인터뷰를 요청한 유저. 그녀에게 연락을 해야겠다고 생각하며 등을 돌렸다.

"카리우스 님. 저희를 위해 직접 군대를 끌고 와주셨군요. 도움에 감사드립니다."

"음? 자네 설마 엘두인가? 아주 어렸을 때 본 것 같은데, 벌써 다 컸군그래."

"크, 크흠. 지금은 숲의 전사장을 맡고 있습니다."

"뭐라? 바닥을 기며 흙을 퍼먹던 그 꼬마가 전사장이라고? 껄껄껄! 세월 참 빠르군!"

"카, 카리우스 님……."

엘프와 인어들은 정말 오랜만의 해후를 나누며 서로의 소식과 안부를 주고받았다.

"그래, 지하의 꼬마들은 어떻게 지내는지 알고 있나?"

"그게…… 저희도 뮬딘 교와 다크엘프들 때문에 바빠서 교류가 끊긴 지 제법 됩니다."

"으음. 그쪽도 마찬가지인가."

심각한 표정을 지은 카리우스는 드워프들을 걱정했다.

"나도 잉가르트를 떠난 드워프들이라면 몇 알고 있지만, 왕국에 대한 소식을 들은 지는 오래되었군."

"하지만 저희가 동시에 뮬딘 교의 공격을 받았다는 것을 미루어볼 때……."

안색이 어두워지는 엘두인과 카리우스.

그들의 곁에서 대화를 듣고 있던 카이가 조심스레 입을 열었다.

"잉가르트의 위치를 알려주시면 제가 한번 찾아가 보겠습니다."

"정말인가?"

"그래 주신다면 더할 나위 없이 감사하겠습니다."

두 사람에게 잉가르트의 위치를 전해 들은 카이는 고개를 끄덕였다.

'이곳이 마지막이다.'

사도의 마지막 성물인 성검 프리우스가 잠들어 있는 곳.

카이가 최대한 빨리 잉가르트로 찾아가 봐야겠다고 다짐하는 순간 카리우스가 걱정 섞인 한숨을 내쉬었다.

"걱정이군. 뮬딘 교의 공세가 이토록 강력할 줄이야."

"저희 엘프들도 사도의 도움이 아니었다면 큰 화를 입었을 것입니다."

"끄응. 차라리 서로의 거리라도 가깝다면 이런 고민을 할 필요는 없을 텐데……."

'……거리?'

두 사람의 푸념을 주워듣던 카이가 눈을 반짝이며 조심스럽게 입을 열었다.

"……거리가 문제라면 모여서 살면 되는 것 아닙니까?"

"음? 우리와 엘프가 말인가?"

"예. 안 됩니까?"

"안 될 건 없지만…… 엘프들은 숲에서 살아야 하지 않나. 우리에겐 바다가 있어야 하고."

"그렇게 입에 딱 맞는 지형은 많이 없을 겁니다. 만약 있다고 해도, 인간들이 자신의 땅을 그리 쉽게 내줄 리는 없겠지요."

중요한 건 땅이다. 현실에서나, 게임에서나 부동산만큼 중요한 건 없다.

잠시 생각에 잠겨 있던 카이가 말을 이었다.

"그럼 만약 그런 땅이 있다면, 두 분 모두 마을을 옮길 마음은 있으시고요?"

"나는 상관없네. 어차피 타루타루에게 이동을 요청하면 끝이니까."

"저는 세계수와 여왕님에게 여쭤봐야 할 문제 같습니다. 저혼자서 결정하기엔 사안이 너무 커다란지라…… 하지만 개인적으로 저는 찬성입니다. 저희만으로 뮬딘 교의 공세를 막는건 역부족입니다."

두 사람 모두 긍정적인 반응을 보이고 있다.

그렇다면 카이가 해결해야 할 문제는 단 한 가지.

'이들에게 선물할 땅. 그것이 필요해.'

아인종들의 생존을 위한 땅의 필요를 느끼고 고민하는 카이에게 바체가 다가왔다.

"카이. 전쟁이 끝났으니 수도로 돌아가 보고를 하고 뒷수습을 준비해야 한다."

"수도……."

눈을 반짝인 카이가 고개를 끄덕였다.

"바로 가지요."

전쟁은 지휘관 혼자서 하는 것이 아니다.

수많은 병사들이 존재해야 비로소 지휘관 또한 존재할 수 있는 것. 그 말은 수도에 초청된 이가 카이 혼자만이 아니라는 소리였다.

"이곳이 왕궁인가."

"난 라시온 왕국민도 아닌데, 긴장되는군."

"말실수하면 안 되는데."

왕궁에 입장한 길드 마스터들은 긴장한 표정을 감추지 못했다. 자유분방하던 캐서린조차 조용해질 정도로 왕궁의 분위기는 위압적이었다.

'난 한 번 와봤기에 그럭저럭…….'

문지기조차 레벨 250이 넘어가는 왕궁의 압도적인 위엄.

바체를 따라 복도를 걷고 알현실에 들어간 일행은 곧장 무릎을 꿇었다.

"어째 전쟁의 주역들이 다들 죄인 같은 몰골을 하고 있군. 고개를 들어라."

베오르크 폰 라시온. 두 번째 만남이지만 매의 눈매와 사자 갈기 같은 머리카락은 도무지 적응이 되지 않는다.

'역시, 왕이라면 무릇 이 정도 위압감은 있어야겠지.'

위엄 스탯만 최소 1,000이 넘을 것 같은 압도적인 위압.

베오르크는 고개를 돌리며 길드 마스터들을 둘러보고는,

마지막으로 카이를 쳐다봤다.

"그대가 이번 전쟁에서 군을 지휘했다고 들었다."

"미약하나마 한 손을 거들었을 뿐입니다. 폐하."

"……자네는 여전히 겸손하군."

가볍게 코웃음을 친 베오르크가 말을 이었다.

"짧게 말하지. 원하는 것을 한 가지씩 말하라."

전쟁에서 승리한 자들에게 내리는 국왕의 선물. 카이와 베오르크의 관계에 대해 의문을 갖던 길드 마스터들은 주먹을 꽉 쥐었다.

'됐다.'

'이것으로 다른 길드들과 더욱 격차를 벌릴 수 있어.'

'이 소원에서 쟁취해야 할 건, 다름 아닌…….'

"마을을 세울 수 있는 땅을 원합니다."

"……!"

카이의 솔직한 답변에 길드 마스터들의 시선이 그에게 돌아갔다.

물론 그들이 원하던 것도 땅이었다.

일반적으로는 퀘스트를 깨고 레벨을 올려도 절대 손에 넣을 수 없는 가치였으니까.

'하지만…… 우리는 길드가 있으니 마을과 도시를 세울 여건이 된다.'

'언노운은 대체 무슨 생각을 하는 거지? 그는 길드도 없는 단신…… 가만, 설마?'

눈치가 빠른 길드 마스터들은 눈을 반짝였다.

그들의 반응을 살펴보던 베오르크가 천천히 입을 열었다.

"땅이라. 못 줄 것도 없지. 어떤 땅을 원하느냐."

"엘프들이 살 수 있는 넓고 깨끗한 숲을 끼고 있으며, 인어들이 살기에 부족함이 없는 바다도 붙어 있으면 좋겠습니다. 그리고 드워프들이 좋아할 만한 광석들도 매장된 곳이라면 바랄 것이 없겠군요."

'저, 저런 도둑놈 같은!'

'나열한 조건 중 한 가지만 안겨줘도 대도시로 키울 수 있는 땅이다.'

'그런 땅을 전쟁 한 번 승리했다고 달라는 건가?'

길드 마스터들은 피식 웃음을 지으며 언노운의 미숙함을 탓했다. 당연히 그러한 땅을 쉽게 줄 수 없을 거라는 판단에서였다.

하지만, 곰곰이 생각을 이어가던 그들의 표정이 천천히 굳어졌다.

'가만. 언노운이 강조한 건 숲과 바다, 광석이 아니야.'

'언뜻 그것들을 강조하는 것 같지만, 주체는 어디까지나 아인종이다.'

'한마디로 아인종들을 위한 도시를 만들고 싶다는 뜻이니……'

'그들과의 교류가 끊겨버린 왕국의 입장에서 보면……'

'……미치겠군. 가능성이 아예 없는 건 아니야. 아니, 오히려 높다.'

라시온 왕국의 입장에서는 아인종이 한곳에 모여 도시를 형성하면 교류하기도 편해진다.

한마디로 카이는 베오르크의 간지러운 곳을 시원하게 긁어 준 셈이 된다.

'NPC들의 친분을 이런 식으로 이용해 먹다니.'

'비겁하지만, 저런 부분은 배워야겠군.'

'확실히 효과적이야. 상대방이 거절할 수 없는 듣기 좋은 조건만 말해준 셈이니까.'

길드 마스터들의 눈에는 카이가 아인종들을 인질로 삼아 좋은 땅을 요구하는 것으로밖에 보이지 않았다.

실제로 베오르크도 그런 느낌을 받았기에, 망설임 없이 물었다.

"그 요구는 그대의 사리사욕을 채우기 위함인가. 아니면 아인종들의 편의와 생존을 지켜주길 위함인가."

"두말할 것도 없이 후자입니다."

지체 없이 대답하는 카이.

그러자 베오르크의 두 눈동자가 카이를 직시했다.

[베오르크가 절대자의 시선을 사용합니다.]

[베오르크가 당신의 말에 대한 진위 여부를 파악합니다.]

[베오르크는 당신의 말이 사실이라는 것을 깨달았습니다.]

"……그렇군."

가볍게 고개를 끄덕인 베오르크가 대기하고 있던 시종에게 명령했다.

"라시온의 전국 지도를 가져오너라."

이윽고 커다란 지도가 눈 앞에 펼쳐지자 베오르크는 턱을 쓰다듬으며 적당한 장소를 물색했다.

그러기를 잠시, 그가 지도의 한 부근을 집었다.

"바다와 숲을 끼고 있으며, 질 좋은 광석들이 매장된 산을 끼고 있는 장소다."

'그렇게 좋은 땅이 실재했단 말인가?'

'그런 곳을 언노운이 날름 먹다니. 배가 아플…… 응?'

'잠깐만, 그런데 저곳은……?'

'언노운 녀석. 국왕에게 밉보인 거라도 있나?'

베오르크가 점찍은 장소를 쳐다보던 길드 마스터들의 표정이 애매해졌다.

압도적인 부러움과 질시에서, 동정으로 바뀌는 표정들.

영문을 모르는 카이에게 베오르크가 명했다.

"과거 푸른 역병의 저주를 받아 일대가 오염되어 모두가 꺼리던 땅이지만 그대라면 괜찮겠지."

그 말에 카이는 확신했다.

'타르달이 국왕에게 말했나 보군.'

자신이 태양의 사제라는 것을 알기에 저런 땅을 준다는 소리를 했을 터. 베오르크의 심중을 헤아린 카이는 망설이지 않고 고개를 끄덕였다.

"폐하의 성은에 감사드립니다."

"……?"

길드 마스터들이 안쓰러운 표정으로 카이를 쳐다볼 때, 고개를 숙인 그는 웃고 있었다.

'저 땅을 전부 정화하려면 시간이 제법 걸리겠어.'

한마디로 저 땅이 원상복구 되는 건 시간문제였다.

다른 길드 마스터들의 요구도 대동소이했다.

그들이 원하던 것도 결국은 땅, 그들도 땅을 얻긴 했지만, 카이처럼 엄청난 조건의 땅을 받은 사람은 없었다.

'영지를 일구기엔 너무나도 작은 땅이다.'

'그렇다고 입지가 좋은 것도 아니야.'

'사냥터나 몇 개 더 개발, 관리하는 정도에서 그치겠군.'

'뭐, 그래도 저주받은 땅을 받은 언노운보다는 나으니까.'

바라던 결과는 아니었지만, 스타트를 끊은 언노운이 꽝을 뽑아서 그런지 마스터들은 대부분이 만족스러워했다.

"모두 잘 싸워주었다. 자네들이 전쟁에서 쌓은 공적치는 왕궁의 보고에서 사용할 수 있을 것이다. 더불어 참여한 모든 모험가에게 30골드씩 포상을 내리도록 하지."

고작 몇 시간 동안 전투로 300만 원씩 챙긴 유저들.

그 말을 끝으로 마스터들을 물린 베오르크는 홀로 남은 카이에게 말했다.

"자네의 공적치가 압도적으로 높더군. 그 공을 치하하는 의미로 특별히 왕궁 보고의 열람을 허락하지. 공적이 허락하는 선에서 어떤 물건을 골라도 좋다."

왕궁 보고의 열람!

여태껏 누구도 발을 들이지 못한 라시온 왕국의 보물 창고에 입장할 권한이 생긴 것이었다.

카이는 자신도 모르게 고개를 조아렸다.

"폐하의 성은에 감사드립니다."

알현실을 나온 카이를 반갑게 맞이한 건 여섯 명의 마스터들이었다.

"언노운. 이번 전쟁의 영상에 대해 조율이 좀 필요할 것 같은데."

"물론 자네의 무대였고, 자네의 활약이 뛰어나긴 했지만 우리의 얼굴도 나왔으니까."

"혼자 편집해서 개인 계정으로 올릴 생각은 아니겠지?"

카이는 가볍게 고개를 끄덕였다.

"물론 그럴 일은 없을 겁니다. 영상을 통해 얻는 수입은 정확히 N분의 1로 나누겠습니다. 대신 편집과 협상, 유통은 제가 맡도록 하죠."

"잠깐. 언노운 네가 편집을 하는 것보단 우리 골리앗에게 맡기는 게 나을 텐데? 헐리우드의 유명 감독인 제레미 코발트가 이끄는 편집부의 영상은 그야말로 영화나 다름없지."

"협상은 우리 길드에 맡기면 되겠군. NBA 과정을 수료한 마케터들이 영업부에 수두룩하게 포진되어 있다. 그들이라면 최고의 결과를 이끌어낼 거야."

마스터들의 설득에도 눈 하나 깜빡하지 않은 카이는 담담한 목소리로 물었다.

"그런데 그토록 대단한 사람들이 만들어낸 결과가 왜 저 한 사람보다 못합니까?"

"……."

그 질문에 마스터들은 대답하지 못했다. 실제로 언노운의 야심작, '달빛과 함께 춤을'은 벌써 3주 동안이나 동영상 게시판 랭킹 1위의 자리를 꽉 잡은 채 내려올 기미를 보이지 않고 있었다.

마스터들이 그토록 떠들어대는 잘난 영상들의 성적을 최단 기간에 따라잡은 상태. 반론하고 싶어도, 할 수가 없는 상황이었다.

"그럼 다들 허락하신 걸로 알고 영상은 제가 알아서 처리하겠습니다."

모두가 씁쓸한 표정으로 고개를 끄덕일 때, 캐서린만이 손을 번쩍 들었다.

"난 47도에서 찍었을 때가 제일 예쁘게 나오거든? 그거 꼭 지켜. 못 지키면 너 죽고 나 죽는 거야."

"……그 의견도 최대한 반영하겠습니다."

대화가 끝나자 시종들이 다가와 마스터들을 궁 밖으로 안내하기 시작했다.

마지막으로 자리에 남은 설은영은 카이를 쳐다보며 입을 열었다.

"이것으로 은혜는 확실하게 갚았어요."

"예, 깔끔하게 갚으셨습니다. 다시 한번 도움에 감사드립니다."

"개인적으로 빚지고는 못 사는 성격이라. 그럼 더 높은 무대에서 봐요."

희미한 미소를 지은 설은영은 짤막한 인사를 남기고 시종을 따라갔다.

'더 높은 무대인가.'

기꺼이 가줄 의향이 있다. 아니, 최고의 자리를 가리고 싶다면 당연히 가야 하는 곳이다.

하지만 지금은 아니었다.

"쌓인 일이 산더미 같으니까."

그것들을 모두 처리한 후에야 별들의 전쟁에 끼어들 수 있을 터.

'그럼 우선 하나 해결하러 가볼까.'

카이는 자신을 기다리는 시종에게 입을 열었다.

"안내해 주세요. 왕궁의 보고로."

라시온 왕궁의 보고. 유저는 물론이고, 귀족 NPC에게조차 쉽게 공개되지 않는 미지의 장소이다.

"들어가십시오. 입장 제한 시간은 한 시간. 카이 님의 공적치는 12,000점이니 3구역까지 입장하실 수 있습니다."

"구역이 나뉘어져 있는 겁니까?"

"예. 안쪽으로 들어갈수록 물건의 가치는 상승하나, 그만큼 지불해야 할 공적치의 값도 커집니다. 모쪼록 마음에 드는 물건을 얻을 수 있으시기를."

입구를 지키던 두 명의 기사가 옆으로 물러서자, 함께 따라온 일곱 명의 마법사가 각자 주문을 외웠다.

'대체 잠금 마법이 몇 개나 설정되어 있는 거야?'

특별히 암호화된 마법이 일곱 개나 해제되자, 그때서야 보고의 문은 열렸다.

'제한 시간은 한 시간.'

띠링!

[라시온 왕궁의 보고를 최초로 방문하셨습니다.]
[스페셜 칭호, '보물 사냥꾼'을 획득했습니다.]

"아, 스페셜 칭호."

그러 고보니 최초의 지휘관이라는 칭호도 얻었는데 효과를 미처 확인하지 못했다.

'우선 확인은 나중에.'

지금은 제한 시간이 걸려있는 장소를 수색하는 중이니까.

보고의 1구역을 스윽 둘러본 카이는 제 앞의 검 하나를 집어 들었다.

"아이템 감정."

[얼어붙은 서리의 검]
등급 : 레어

공격력 321~362

힘 +30

민첩 +20

착용 제한 : 레벨 300, 힘 700.

내구도 41/53

설명 : 얼음을 다루던 대마도사가 심심풀이로 만들어낸 무기. 얼음으로 만들어져 내구도가 약한 편이다.

[특수 효과]

빙결(공격 시 5% 확률로 적을 빙결 상태로 만듭니다.)

필요 공적치 : 1,200

"1구역인데 벌써 이런 아이템이 나온다고?"

어이가 없어진 카이가 헛웃음을 터뜨렸다.

하지만 그것도 잠시. 주변의 아이템들을 닥치는 대로 감정하던 카이는 고개를 끄덕였다.

'다들 최소 레어 등급. 효과도 끝내주게 좋아. 좋은데……'

치명적인 단점이 하나씩 붙어 있다.

이를테면 얼어붙은 서리의 검은 내구도가 문제. 그리고 미쳐버린 도적의 단검은 일정 확률로 사용자의 생명력이 줄어든다.

'장비들의 품질은 뛰어나지만…… 막상 쓰기에는 조금 미묘한 구석이 있어.'

그 사실을 깨달은 카이는 다른 아이템들은 감정도 하지 않고, 다음 구역으로 넘어갔다.

'뭐, 1구역에도 단점이 없는 보물이 숨어 있을 수는 있겠지. 하지만……'

카이는 2구역에 놓여 있던 검 하나를 들어 올렸다.

"아이템 감정."

[몰아치는 광풍의 롱소드]

등급 : 레어

공격력 347~392

힘 +32

민첩 +21

체력 +10

착용 제한 : 레벨 280, 힘 700.

내구도 87/118

설명 : 폭풍의 언덕에서 완성되었다고 전해지는 드워프의 무구. 희대의 보물이라는 수식어가 아깝지 않은 검이다.

[특수 효과]

광풍(치명타 공격 시, 광풍이 불어 주변의 모든 적들에게 추가 피해를 줍니다.)

필요 공적치 : 5,420

"호오."

1구역의 무구들이 품고 있던 단점은 2구역에선 엿볼 수 없었다. 한 마디로 레어 아이템 중에서 최상위 등급이 모여 있는 구역.

'그렇다면 3구역은?'

자신이 입장할 수 있는 건 3구역까지.

카이는 망설이지 않고 3구역으로 이동했다.

"오오……."

아이템들이 뿜어내는 때깔부터 달랐다.

즉시 감이 온 카이는 무기들을 감정하기 시작했다.

"역시."

최소 레어. 그리고 최대 유니크 등급의 아이템까지 존재하는 구역. 다만, 유니크 장비의 경우에는 1구역처럼 미묘한 구석이 하나씩 존재했다.

'유니크 장비이지만 단점이 있는 물건이 3구역에 있고. 4구역에는 흠잡을 데 없는 유니크 장비가 있겠지. 그렇다면 5구역은……?'

왕궁의 보고는 총 다섯 개의 구역으로 나뉘어 있다고 들었다.

그렇다면 그곳에 위치한 아이템들의 등급은 단 하나뿐.

"레전더리 아이템이겠지."

레전더리 아이템에 단점 따위가 있을 리 없으니 6구역이 없는 것이리라.

'혹시 구경 정도라면 할 수 있지 않을까?'

카이가 호기심 삼아 4구역으로 향하는 문 앞에 다가가자, 시스템이 그를 제지했다.

[권한이 없습니다.]

[필요 공적치가 부족합니다.]

"구경도 안 되나 보네."

아쉬움에 입맛을 다신 카이는 3구역을 샅샅이 뒤지기 시작했다.

'1구역, 2구역까지 둘러보기엔 시간이 촉박해.'

있을지도 모르는 보물을 그곳에서 찾는 것보단, 3구역에서 쓸 만한 아이템을 찾는 것이 빠르다. 게다가 3구역에 놓인 물품은 1, 2구역에 있는 것보다 개수가 적으니 조사 시간도 단축된다.

40분가량 아이템들을 감정하고 다닌 카이의 귓가에 익숙한 소리가 들렸다.

띠링!

[감정 스킬이 고급 2레벨로 상승했습니다.]

"……개꿀."

수백개가 넘어가는 유니크 아이템을 감정한 결과물.

'이제 슬슬 결단을 내려야겠지.'

카이는 제 눈앞에 놓인 두 개의 물건을 쳐다봤다.

[저주받은 귀족의 망토]

등급 : 유니크

방어력 : 812

마법 방어력 : 781

힘 +25

체력 +25

위엄 +50

착용 제한 : 레벨 250.

내구도 70/100

내용 : 기울어가는 가문의 현실을 받아들이지 못하고 악마와 계약을 한 귀족이 즐겨 입던 망토. 끝내 악마의 간계에 속아 넘어간 그는 지금도 지옥의 대지를 걷고 있습니다.

[특수 효과]

착용 시 독에 중독되어 초당 1,500의 피해를 입습니다.

필요 공적치 : 10,800

[힘 상승의 영약]

등급 : 유니크

복용 시 80%의 확률로 힘이 10 증가합니다.

복용 시 15%의 확률로 힘이 100 증가합니다.

복용 시 5%의 확률로 힘이 1,000 증가합니다.

필요 공적치 : 11,450

"으으으……."

카이가 비틀린 신음을 뱉어냈다.

'매사에 긍정적이며, 품행이 올바르고 성실한 미남, 미녀들만이 겪는다는 선택 장애!'

두 물건을 몇 번이고 쳐다본 카이는 한숨을 뱉어냈다.

"남은 시간은 이제 겨우 15분인데……."

자신이 보유한 공적치는 12,000. 둘 중 하나밖에 사지 못한다는 소리였다.

'망토를 사면 당장 전력이 올라갈 테지만…….'

카이의 눈이 영약으로 돌아갔다.

'5%면 그리 낮은 수치도 아니잖아?'

낮은 수치 맞다.

하지만 대박의 꿈에 눈이 먼 카이의 머리는 이상한 방향으로 회전하기 시작했다.

'뭐. 15% 확률에 걸려서 힘이 100개만 올라가도 압도적인 이득이야. 꽝이나 다름없는 80% 확률에 걸린다면? 힘 10개는 땅을 파도 안 나오니 그것도 이득이지. 잭팟이라도 터지면······.'

힘 스탯 1,000개 상승! 안 되는 수치에 카이는 연신 침만 꿀꺽꿀꺽 삼켰다.

평상시의 카이가 봤다면 정신 차리라고 뒤통수를 한 대 때린 뒤, 정신 못 차렸냐며 한 대 더 때릴 만한 모습.

"으으으. 미치겠네."

물론 망토가 훨씬 안정적으로 스펙을 올릴 수 있다는 걸 알고 있었다.

하지만······.

'최근 내 운빨이 그리 나쁜 편은 아니야.'

엄밀히 말하자면, 하는 일마다 연달아 홈런을 치기 일쑤.

게다가 지난번에 스킬 북 도박을 할 때도 대박을 쳤던 기억이 새록새록 떠올랐다.

"혹시····· 헬릭이 날 몰래 도와주고 있는 것 아닐까?"

옆에 헬릭이 있었다면 뭔 개소리냐고 소리칠 법한 생각.

하지만 모든 인간이 그렇듯, 선택 장애가 찾아왔을 때 해결법은 단 하나뿐이다.

'지, 지를까?'

눈 꼭 감고 지르는 것. 수중에 있는 돈을 털어내서 더 이상 물릴 수 없게 만드는 것이 유일한 해결책.

"카이 님의 공적치를 바탕으로 힘 상승의 영약 반출을 허용합니다. 수고하셨습니다."

쿠웅!

"……."

굳게 닫히는 보고의 문. 다시 생성되는 일곱 개의 잠금 마법. 그리고 자신의 손바닥 위에는 조그마한 병 하나.

카이는 그제야 정신을 차렸다.

"대, 대체 내가 무슨 짓을!"

저주받은 귀족의 망토는 그만한 단점이 있더라도, 경매장에 올리면 최소 수백만 원은 받을 수 있는 물건이다. 게다가 포이즌 마스터인 자신이라면 독 대미지를 무시할 수 있는 것이 당연지사.

'힘 스탯 25개, 체력 스탯 25개, 위엄 스탯 50개를 얻을 기회가……'

반짝!

영롱한 빛의 물약 한 병으로 바뀌어 버린 것이다.

'이건 행운 아이템으로 행운을 올려도 소용없어.'

애초에 고정 확률이다. 행운 아이템을 덕지덕지 입는다고 5%의 확률이 7%가 되지는 않는다는 소리.

벌컥벌컥!

카이는 우선 성수 한 병을 비워 입안에 신성력을 가득 머금었다. 그런 뒤, 복도에 무릎을 꿇은 그는 눈을 꼬옥 감고 헬릭에게 기도했다.

"헬릭 님. 전직할 때 이후로 처음 드리는 기도입니다. 그간 강녕하셨는지요. 저는 잘 지냈습니다. 거두절미하고 얘기하자면, 한 번만 도와주십시오……. 제가 평소에 헬릭님을 얼마나 존경하고 있었냐면……."

뜬금없이 시작된 고해성사에 실시간으로 바라보던 기사와 마법사들은 황당한 표정을 지었다.

'살다 살다 이런 또라이는 처음 보는군.'

'폐하께서 정말 이런 놈한테 왕궁 보고의 열람을 허락하셨다고?'

'하는 짓 보면 사제인 것 같은데…….'

'저걸 신앙심이 깊다고 봐야 하나? 태양교의 미래가 몹시 걱정되는 날이다.'

그들의 생각이 어떻든, 묵묵하게 기도를 가장한 구걸을 마친 카이는 병따개를 열었다.

[힘 상승의 영약을 복용하시겠습니까?]

시스템의 물음에, 카이는 말 행동으로 답했다.

벌컥벌컥!

뿌린 대로 거둔다.

평소 행실이 어떠냐에 따라 그 결과가 고스란히 돌아온다는 유명한 속담이다.

"뿌린 대로…… 뿌린 대로? 흠. 뿌린 대로인가……."

혼잣말을 계속 중얼거리던 카이는 왕궁의 복도를 거닐고 있었다.

"자네로군. 보고의 열람은 끝났나?"

고개를 까딱이며 아는 체를 하는 바체. 카이의 얼굴을 빤히 쳐다보던 그는 고개를 갸웃거렸다.

"……보고를 열람했다면 기뻐야 정상일 텐데, 얼굴이 왜 그리 어둡지?"

"바체 님."

평소 들어보지 못한 카이의 진지한 음성.

예삿일이 아니라 생각한 바체도 덩달아 목소리를 깔았다.

"무슨 일이지? 혹시 보고에 어떠한 문제라도……."

"제 평소 행실이 어떤가요?"

"음?"

예상치 못한 질문에 바체의 커다란 눈이 깜빡여졌다.

'카이의 평소 행실이라면…….'

그리 가깝지는 않은 사이다.

하지만 이미 두 번이나 함께 전장을 나서본 적이 있는 만큼, 모르는 사이도 아니다.

잠시 고민을 하던 바체는 최대한 객관적인 평가를 내려주었다.

"착하고 정의로운 속물."

"음……. 그렇군요."

찜찜한 표정으로 고개를 끄덕이던 카이는 어깨를 축 늘어뜨리며 말을 이었다.

"태양신은 절 버리셨나 봐요."

"그게 무슨?"

"그 양반한테는 두 번 다시 기도 안 할 거예요. 그럼 다음에 뵐게요."

"……."

힘 없는 걸음을 내딛는 카이의 모습을 쳐다본 바체는 고개만 갸웃거렸다.

✻

"아! 이래서 니체가 그런 말을 했던 거구나."

신은 죽었다고. 그의 명언을 다시 한번 가슴에 새긴 카이는 스탯 창을 띄웠다.

[능력치]

힘 : 1056 / 체력 : 484

지능 : 376 / 민첩 : 344

신성 : 1127 / 위엄 : 326

선행 : 193

……

드디어 1000스탯을 넘은 힘!

뮬딘 교와의 전쟁에서 획득한 160개의 스탯 중, 80개를 투자한 결과였다.

"……거기에 힘 상승의 영약에서 나온 10스탯을 추가."

똥 씹은 표정으로 중얼거리던 카이의 입에서 의문이 흘러나왔다.

"음? 그런데 스탯들이 왜 더 올라가 있어."

눈만 껌뻑이며 그 원인을 찾던 카이는 제 손뼉을 치며 외쳤다.

"아! 스페셜 칭호!"

카이는 곧장 칭호 도감을 펼쳤다.

[최초의 지휘관]

[등급 : 스페셜]

[내용 : 최초로 NPC 1,500명 이상을 이끈 자에게 주는 칭호.]

[효과 : 모든 스탯 +15, 휘하의 모든 아군 능력치를 상승.(이 효과는 칭호를 장비하지 않아도 적용됩니다.)]

[보물 사냥꾼]

[등급 : 스페셜]

[내용 : 최초로 국보급 보물이 놓인 곳을 방문한 자에게 주는 칭호.]

[효과 : 모든 스탯 +10, 주변의 보물을 탐지할 수 있음.(이 효과는 칭호를 장비하지 않아도 적용됩니다.)]

"모든 스탯 25개에…… 효과도 쏠쏠한데?"

휘하의 모든 아군 능력치를 상승시켜 주는 건 미믹이나 블리자드도 포함이 될 터.

'게다가…… 이제 얼마 안 있으면 완성된단 말이지.'

코로나에게 의뢰해놓은 장비. 바로 스켈레톤 나이트들을 만들어내는 장비가 곧 완성될 것이다.

'그 녀석들을 전부 듀라한으로 서임시킨다면?'

웃기지도 않지만, 사제인 주제에 언데드 대군을 이끌 수도 있다.

"으음. 주변의 보물을 탐지할 수 있다는 건 어떤 방식으로 발동될런지는 모르겠지만, 있어서 나쁠 건 없겠지."

힘 상승의 영약으로 노리던 잭팟은 불발로 끝났지만, 스페셜 칭호들의 효과가 쓰린 속을 달래주었다.

"자, 그럼 이제 다음 일을 진행해 볼까."

왕궁을 나선 카이는 메시지창을 띄웠다.

'카이와 언노운이 동일인이라는건 전쟁에 참여한 길드 마스터들이라면 다 알겠지.'

그들의 레벨도 제법 올랐고, 당연히 랭킹도 확 올랐다.

그런데 그들과 같은 시간에, 더 많은 경험치를 획득한 유저가 하나 있다.

바로 자신이다.

'그들의 입에서 소문이 퍼질 거라면, 그냥 깔끔하게 이쪽에서 말하는 게 낫지.'

더불어 자신이 버그 플레이어라는 오명을 씻어낼 수도 있을 것이다.

어떻게 사람들에게 알릴 것인지는 이미 정해두었다.

아리스, 오크 로드 토벌대에서 언젠가 인터뷰를 한 번 해주 겠다고 약속한 여자다. 카이는 그녀에게 메시지를 보냈다.

"헤엑, 헤엑!"

양쪽으로 휘날리는 두 갈래의 분홍색 머리. 키는 157㎝ 정 도 될까 싶은 소녀가 수도 인근의 숲을 힘차게 뛰어다니고 있 었다.

'대박이야, 대박이야!'

그녀의 이름은 아리스. 현재 상태는 매우 신남!

그 이유는 간단했다.

'드디어 인터뷰 연락이 왔어!'

커뮤니티에는 하루에도 최소 수만 개의 인터뷰가 올라온다.

하지만 그 인터뷰 중 현재 가장 핫한 플레이어인 언노운의 인터뷰는 없다.

'그 말은 언노운 단독 인터뷰는 내가 최초라는 소리야.'

수년간 다양한 게임의 BJ로 활동한 그녀였지만, 이 정도의 특종은 그녀로써도 처음이었다.

"헤에엑. 야, 약속 시간까지는 아직 20분 남았으니까…… 흐우! 여유롭네."

숨을 고르던 그녀는 약간 일찍 자리에 도착했다.

'언노운은 성격이 차갑고 칼 같기도 유명해. 혹시라도 내가 늦으면 짜증을 내면서 인터뷰를 취소할지도 몰라.'

모든 정보가 베일에 쌓인 언노운이었지만, 여태까지 걸어온 행보는 그 성격을 보여줬다.

'마음에 안 드는 애들은 마구마구 죽여 버려. 그리고 혼자서 레벨 높은 보스 몬스터도 마구마구 잡아버려. 어쩌면 소문대로 성질 급하고, 포악한 사람일지도.'

인터뷰를 앞둔 긴장 때문인지, 그 무서운 언노운을 만난다는 두려움 때문인지. 아리스는 타오르는 갈증에 연신 물만 들이켰다.

'왜 이런 곳에서 만나자고 한 건지는 모르겠지만…….'

언노운은 상당히 조심스러운 성격인 것 같았다. 그게 아니라면 사람들이 오지 않는 한적한 사냥터를 접선 장소로 고르지는 않았을 테니까.

"일단 물어봐야 할 내용이……."

하나, 둘…….

언노운과의 인터뷰를 위해 준비해 두었던 147개의 질문들을 정리한 메모를 읽으며, 아리스는 헤실헤실 웃었다.

'꿈만 같아.'

몇 달 동안 연락이 없기에 자신을 잊어버렸나 싶어 시무룩해하고 있었는데,

설마 이런 식으로 갑자기 연락이 올 줄은 몰랐다.

'영상을 보니 이번에 커다란 전쟁을 치르는 것 같던데. 그 결과는 어떻게 되었을까?'

최근 언노운의 행보는 매우 적극적이었다. 이전에는 영상을 올릴 때만 모습을 드러냈지만, 최근에는 적극적으로 미디어에 노출되었다.

'검은 벌 사냥 때부터 이번에 엘프들을 이끌고 치르는 전쟁까지……. 큼직한 사건들을 몰고 다니는 남자야. 아, 전쟁 결과가 어떻게 되었는지 궁금하다! 이건 꼭 물어봐야지.'

그녀가 몇 분 남지 않은 인터뷰 시간에 잔뜩 두근거리고 있을 때, 뒤쪽에서 수풀이 흔들리는 소리가 들려왔다.

'오, 오셨구나!'

밝은 미소와 함께 고개를 돌린 아리스는 꾸벅 고개를 숙이며 인사했다.

"안녕하세요! 항상 특종의 냄새를 맡고 다니는……?"

"오, 진짜네?"

"맞다니까. 내가 얘 방송을 하루이틀 봤었나?"

끽끽거리면서 나타난 두 명의 남성. 입고 있는 장비들이 하나같이 번쩍거리는 것이, 초보자는 절대 아니었다.

그리고 입가에 걸친 비열한 미소를 보니, 좋은 의도를 품고 다가온 것도 아닌 듯했다.

'레, 레벨이 엄청 높아 보여.'

본능적으로 불안한 기운을 감지한 아리스가 뒷걸음질을 치며 물었다.

"누, 누구세요?"

"아아, 우리는 네 방송 팬인데. 맨날 말 걸어도 대꾸도 안 해 주더라고."

"심지어 저번에 차단까지 당하니까 억울하더라."

"차단이요……? 제가요?"

아리스는 방송 시청자들을 함부로 차단하지 않았다.

'내가 차단하는 경우는 두 가지뿐이야.'

하나는 욕설을 내뱉으며 방송의 물을 흐리는 사람들.

그리고 다른 하나는 음담패설로 방송의 격 자체를 떨어뜨리는 사람들이었다.

"니, 닉네임이 어떻게 되시는데요? 혹시 오해가 있었던 거라면……."

"응? 난 제트."

"나는 그랑인데. 기억할라나 모르겠네."

"제, 제트랑 그랑!"

아리스의 커다란 눈망울에 분기가 치솟았다.

'맨날 나한테 야한 농담이나 하고, 안 받아주면 욕까지 했던 진상 양아치들이잖아!'

그야말로 최악의 상황.

게다가 그들은 항상 자신들의 레벨이 높다는 것을 떵떵거리며 자랑했다. 다른 시청자들에게 사냥터에서 만나면 죽는다고 협박을 서슴지 않을 정도.

침을 꿀꺽 삼킨 아리스는 그들을 향해 똑 부러지게 말했다.

"차, 차단은 못 풀어드려요. 두 분 다 제 방송의 규칙을 어기셨고……."

"민주주의 국가에서 내가 무슨 말을 하든 자유 아닌가?"

"거, 무슨 소련도 아니고 말이야. 말 몇 마디 좀 한 게 마음에 안 든다고 사람을 차단하면 쓰나?"

"게다가 우리 두 사람이 후원한 금액 합치면 150만 원이 넘거든?"

"돈은 돌려드릴게요. 돌려드릴 테니……."

"에이, 누가 돈 받자고 이러나. 예쁘고 귀여운 포즈로 같이 사진 몇 장 찍어주면 물러날게."

"거기다가 우리가 준비한 예쁜 옷들도 좀 입어줘야겠어."

"호호호."

변태 같은 웃음을 지으며 다가오는 두 명의 양아치들.

아리스는 접선 장소로 이런 사냥터를 고른 언노운을 원망했다.

'씨잉. 왜 이런 곳을 접선 장소로 골라서!'

음유시인인 데다가 레벨이 고작 120인 그녀는 전투력이 거의 전무. 딱 봐도 근접 전투 계열로 보이는 눈앞의 남자들을 이길 자신은 없었다.

결국 그녀는 언노운과의 두 눈을 질끈 감으며 소리쳤다.

"로그아웃!"

"어허, 그렇게는 안 되지."

서걱!

순식간에 뽑어져 나온 제트의 검이 천으로 된 아리스의 셔츠를 살짝 찢었다.

[전투 상태에서는 로그아웃하실 수 없습니다.]

"이, 이런……."

"어라, 지금 포즈 좋은데?"

"그대로 가만히 있어. 우선 사진 한 장 찍자."

카메라 앱을 활성화시킨 그랄이 아리스에게 천천히 다가갔다.

그때 조용한 숲속에 한 줄기의 음성이 울려 퍼졌다.

"이봐, 거기 남자 두 명. 내가 좋은 말을 하나 해줄까?"

"뭐, 뭐야."

"이런 곳에 사람이?"

황급히 몸을 돌리며 주변을 살피는 제트와 그랑.

잠시 후, 우거진 나무의 그림자 밑에서 한 명의 사제가 천천히 걸어 나왔다.

"오늘 내가 직접 배운 교훈은, 사람은 뿌린 대로 거둔다는 거였지."

"……사제?"

"나 참. 어이가 없어서."

등장한 유저를 확인한 제트와 그랑이 긴장을 풀면서 옅은 한숨을 내쉬었다.

"후우, 웬 병신 같은 새끼 하나 때문에 쫄았잖아."

"그러니까. 수도 바로 옆 사냥터라서 수도 병사나 기사들도 종종 순찰을 도니까."

곧장 카이에게 다가온 제트가 움찔 몸을 떨었다.

'이놈 이거. 입고 있는 사제복이 평범하지는 않네?'

한 번도 본 적 없는 고급스러운 질감의 사제복이었다.

최소 유니크 등급은 되어 보일 듯한 아이템.

무언가 이상하다는 것을 깨달은 제트와 그랑은 서로의 얼굴을 쳐다봤다.

'이 녀석, 레벨 좀 있어 보이는데……'

'야, 그래 봤자 사제 아니겠어? 그리고 가슴 쪽에 길드 마크도 없어.'

'그 말은 죽여도 뒤탈은 없다는 뜻이겠네.'

빠르게 결론을 내린 제트가 카이의 가슴을 손가락으로 툭 툭 밀었다.

"어이, 좋은 말로 할 때 꺼져라."

"저기요. 사제치고는 레벨도 좀 높아 보이시는데, 개죽음당하지 말고 가던 길 가세요."

"내가 제일 싫어하는 부류가 약속해놓고 약속 장소에 늦게 나타나는 놈들이야."

"……?"

지금 상황과는 관련이 없는, 뜬금없는 말을 꺼낸 사제는 시간을 확인하더니 미소를 지었다.

"내가 선약이 있거든. 그런데 약속 시간까지 한 3분 정도 남았어."

"……?"

"갑자기 뭔 개소리를……."

"요컨대, 내 눈앞에서 좀 사라지라는 소리지."

쿠웅, 쿠웅!

"무, 무슨!"

"이것들 뭐야!"

제트와 그랑은 순식간에 뒤에서 나타나 자신들을 바닥에 눕힌 존재들을 쳐다봤다.

"자, 잠깐만. 뭐야 이거……."

"이거…… 이거……?"

"크르륵."

칠흑의 원한 세트를 입고 있는 블랙 리자드맨 한 마리와.

텅텅텅!

자신의 투구를 연신 바닥에 두드리는 듀라한 한 마리.

"언노운의……."

"소환수?"

제트와 그랑은 경악한 눈빛으로 눈앞의 사제를 쳐다봤다.

"뿌린 대로 거두리라."

카이가 말했다.

제트와 그랑은 생각보다 빠르게 충격에서 헤어나왔다.

"비켜, 이 새끼들아!"

"소환수 주제에 감히!"

콰득!

과연 스스로가 고수라고 지칭할 정도의 실력자들. 블리자드와 미믹을 쉽게 떨쳐낸 이들은 뒤를 경계하면서도 언노운을 노려봤다.

'언노운……'

'최근 미드 온라인에서 가장 유명한 플레이어.'

그 명성이 주는 위압감에 침을 꿀꺽 삼킨 제트가 물었다.

"언노운이 언제부터 정의의 용사 흉내를 내기 시작했지?"

그 질문에 카이의 눈매가 살짝 찌푸려졌다.

"정의의 용사라니? 말했잖아. 그냥 선약이 있을 뿐이라고. 비켜."

말이 끝나는 것과 동시에 카이의 검집에서 검이 뽑혀 나왔다.

뽑는 것과 동시에 휘둘러지는 깔끔한 발도.

촤아아아악!

두 사람의 가슴을 크게 베고 지나간 검은 소기의 목적을 완수하고 제자리로 돌아왔다.

그 속도는 가히 제트와 그랑이 반응을 하지 못할 정도.

'빠, 빠르다!'

'공격력도…… 젠장, 강해!'

직접 상대하는 언노운의 검은 영상에서 보던 것보다 몇 배나 더 빠르게 느껴졌다.

"……좋네."

카이가 만족스러운 미소를 지으며 중얼거렸다.

'고급 여명의 검법. 확실히 좋아.'

카이는 이번 전쟁을 통해 새로운 단계로 올라선 검법이 무척이나 마음에 들었다.

[고급 여명의 검법 LV. 1 Passive.]
등급 : 유니크
설명 : 검으로 공격할 시 적에게 공격력의 300% 대미지를 준다. 적을 공격할 시 신성 스탯에 비례한 추가 신성 피해를 준다. 적을 공격할 때마다 일정량의 신성력을 회복한다.
숙련도 0/100

처음 후이 관장에게 배울 때만 해도 노말 스킬이었다.

하지만 아쿠에리아에서 중급 랭크로 올랐을 때 레어 등급이 되었고, 이번 전쟁을 통해 고급 랭크로 올라선 검법은 유니크 등급이 되었다.

'효과는 발군.'

적을 공격할 때마다 터지는 추가 신성 피해는 뮬딘 교를 상대할 때도 그 효과가 두드러졌다.

그뿐만이 아니었다.

'신성력 회복도 장난 아니잖아?'

한 번 공격할 때마다 신성력이 최소 500씩 차올랐다.

'안 그래도 최근 신성력 부족을 느껴서 신성력 스탯에도 신

경을 많이 썼었는데…….'

이건 그야말로 호랑이 등에 날개를 달아준 격!

마르지 않는 신성력은 카이의 전투력을 몇 배나 상승시켜줄 것이 분명했다.

"이런, 40초 남았네."

약속 시간을 확인한 카이는 여유롭게 걸어나가며 그들에게 작별을 고했다.

"비키라는 경고는 두 번이나 했어. 이제 경고는 없다."

'괴, 굉장하다!'

아리스는 눈앞의 사제가 펼친 검무에 정신이 쏘옥 빠졌다.

처음 사제복을 입은 유저가 등장할 때만 해도 아무런 기대를 하지 않았지만…….

'설마 언노운이었을 줄은 꿈에도 몰랐어!'

황급히 정신을 차린 아리스는 언노운에게 달려가 고개를 꾸벅 숙였다.

"구, 구해주셔서 감사합니다!"

"뭘요. 군이 이런 곳에서 만나자고 한 제 잘못이죠."

부드러운 언노운의 음성.

틀림없이 차갑고 강렬한 이미지일 것이라는 편견이 산산조 각이 나는 순간이었다.

언노운이 손을 뻗어 악수를 요청했다.

"연락이 많이 늦어져서 죄송합니다. 카이라고 합니다."

"아, 아리스예요! 연락을 주신 것만 해도 감사하죠. 그런데 카이라면……?"

아리스가 고개를 갸웃거렸다.

분명히 어디선가 들어본 닉네임.

잠시 눈만 깜빡이던 그녀의 동공이 휘둥그레졌다.

"서, 설마 현재 레벨 랭킹 1위이신 그 카이 님!"

"하하하……."

머쓱한 미소를 지으며 머리를 긁적이는 카이.

아리스는 다시 한번 큰 충격을 받고 입을 멍하니 벌렸다.

'대, 대박이다. 이건 대박 특종이야.'

설마 언노운의 플레이어 닉네임이 카이였을 줄이야?

커뮤니티에서도 몇 차례 그런 소문이 돌기는 했지만, 물증 이 없어서 빠르게 사그라든 소문이었다.

'그런데 그것이 사실이었습니다!'

현재 미드 온라인 랭킹 1위!

최근 미드 온라인에서 가장 유명한 플레이어!

하나만 거머쥐고 있어도 칭송받을 타이틀을 이 남자는 양

손에 쥐고 있었다.

'그뿐만이 아니야……'

아리스가 조심스럽게 입을 열었다.

"저어…… 제가 옛날에 프리카 마을이라는 곳을 방문했었는데요. 그곳 주민들은 마을의 영웅을 카이라고 부르시던데…… 혹시 무언가 관련이라도……?"

"그거 저 맞습니다. 글렌데일과 화이트홀의 성자도 마찬가지구요."

듣는 이로 하여금 속이 시원해지는 대답이었다.

최근들어 유저들이 그토록 궁금해하던 질문의 답을 얻은 아리스가 활짝 웃었다.

'언노운은 인성도 매우 훌륭한 유저였어!'

그게 아니라면 성자 칭호 두 개에, 영웅 칭호 하나를 획득할 리가 없지 않은가!

생각을 정리한 아리스는 이내 고개를 꾸벅 숙였다.

"대답해 주셔서 감사해요! 정정 보도는 최대한 빨리할 테니 걱정하지 마세요."

"……정정 보도라니요?"

"아참, 모르실 수도 있겠네요. 제가 예전에 카이 님에 대한 영상을 찍었는데, 프리카의 사제님들은 카이 님이 사제라고 하셨거든요. 그래서 제 팬들은 카이 님을 사제인 줄 알아요."

"아하. 사실 이번에 인터뷰를 요청한 것도 그것과 관련이 있는데……."

"네네, 카이 님의 심정은 잘 알겠어요."

한쪽 눈을 찡그리며 윙크를 건넨 아리스가 말을 이었다.

"그 후에 성기사 히든 클래스로 전직하신 거죠? 그런데 지금은 다들 카이 님이 사제라고 하셔서 애매하신 상황이신 거고."

"……예?"

"그 부분은 저에게 맡겨주세요. 저 아리스. 제일 싫어하는 것이 잘못된 정보를 퍼뜨리는 몇몇 기레기랍니다. 심지어 그 사람들은 정보가 잘못된 것을 알아도 사과를 안 한다니까요? 전 절대 그런 짓 안 하니까 걱정하지 말아 주세요!"

"……."

"성기사라고 성자 칭호 따지 말라는 법은 없으니까요. 제가 사람들의 오해를 바로잡아 드릴게요."

혼자서 북 치고 장구 치고, 드럼을 친 뒤 꽹가리까지 치기 시작한 아리스.

하지만 그 모습을 쳐다보던 카이는 흥미로움을 느꼈다.

'잠깐. 이거 그냥 내가 이대로 가만히 있으면…….'

빠르게 눈을 깜빡거리는 카이의 두뇌는 맹렬한 속도로 돌아갔다.

'가만히 있으면 아리스가 내가 사제가 아니라고 해명 방송

을 해줄 테고……'

그럼 이번 인터뷰를 통해 공개되는 건, 카이가 언노운이라는 사실뿐이다.

'결과적으로 카이는 버그 플레이어라는 오명을 벗게 되는 거고…… 언노운은 히든 클래스 성기사가 되는 거지. 게다가 얼어걸린 것이지만…… 복선도 깔아뒀잖아?'

전쟁이 시작되기 전, 그러니까 언노운이 카이라는 사실을 밝힐 생각이 눈곱만큼도 없던 때, 카이는 길드 마스터들에게 자신의 직업이 광휘의 성기사라는 거짓 정보를 건넸다.

'만약 이번에 아리스에게도 같은 정보를 건넨다면?'

삼인성호(三人成虎)라는 말이 있다.

한 사람이 호랑이를 봤다고 거짓말을 하면 아무도 믿지 않지만, 그 숫자가 두 명, 세 명이 되면 주변 사람들이 믿기 시작한다는 사자성어이다. 거짓을 부르짖는 이가 많을수록 사람들을 속이기 쉽다는 뜻.

'아리스의 방송을 통해 시청자들이 거짓 정보를 퍼뜨리기 시작한다면?'

거짓도 진실로 만들 수가 있다.

그것이 바로 매스컴의 무서운 점!

가볍게 두뇌를 한 차례 돌린 카이가 빙그레 웃었다.

"예. 아, 참. 광휘의 성기사라는 정보는 드릴게요. 공개하셔도 됩니다."

"저, 정말이신가요?"

"그럼요. 제 인터뷰를 해주시는 분인데 이 정도 소스야 당연히 드려야죠."

"가, 감사합니다! 소문과는 달리 천사 같으세요!"

"그런 말 자주 들어요. 하하하."

인터뷰는 화기애애한 분위기 속에서 진행되었다.

아리스는 해야 할 질문과 하지 말아야 할 질문을 정확히 구별할 수 있는 프로였고, 덕분에 카이도 편안한 마음으로 인터뷰에 응할 수 있었다.

"감사해요! 편집 끝나면 바로 제 채널에 올리고 말씀드릴게요!"

"예. 오늘 수고하셨습니다."

"네네. 수고하셨어요!"

영상을 편집할 생각에 잔뜩 신난 아리스가 사냥터를 떠나자 홀로 남은 카이는 콧노래를 흥얼거렸다.

'일이 생각보다 훨씬 더 잘 풀렸어.'

결과적으로 언노운이라는 가면의 의미는 크게 퇴색되었다.

하지만 그 사실이 아쉽지는 않았다.

'그저 새로운 가면으로 갈아탄 것뿐이니까.'

언노운에서 광휘의 성기사라는 가면으로 바뀐 것뿐. 자신에게 가장 중요한 정보가 베일에 싸여 있다는 건 달라지지 않았다.

"후우……. 이제 하나만 더 끝내면 내 땅으로 갈 수 있는 건가."

머리를 벅벅 긁은 카이는 커뮤니티의 쪽지함을 열었다.

이름만 들어도 알법한 세계의 방송국들이 보낸 쪽지들.

"흠."

심드렁한 콧김을 내뿜은 카이가 어깨를 으쓱거렸다.

"까짓것, 경매 한 번 더 하지 뭐."

경매는 적보다 더 높은 금액을 제시할 수 있어야 이길 수 있는 치열한 전장이다.

하지만 그건 참가자나 그렇지, 판매자는 다르다.

"그냥 기다리면 끝이지, 뭐."

한정우가 경매를 선호하는 이유이기도 했다.

때문에 그는 방송국들과 약속을 잡았다.

그것도 무려 국내의 일곱 개 방송국과 한 번에.

'조건 자체는 시장이 큰 해외 쪽이 훨씬 좋았지만…….'

간이든 쓸개든 빼줄 것 같이 굽실거리는 국내 방송사와는 다르게, 세계적인 방송국들은 자존심이 높았다.

물론 그 자존심을 뒷받침해 줄 돈도 함께였지만, 그에게 필요한 건 돈이 아니었다.

'지금 필요한 건 내 조건을 받아줄 수 있는 방송국이지.'

세계의 방송국들은 한정우의 제안을 일언지하에 거절했다.

세계 최고라는 자존심이 그들의 발목을 묶고 있었으니까.

'뭐, 그만큼 간절하지 않다는 뜻 아니겠어?'

[속보! 언노운, 미드 온라인 최초의 전쟁 영상을 한국과 독점 계약 추진 중.]

[언노운, 그의 국적은?]

[최초의 전쟁이 가지는 의미에 대하여.]

[방송국 관계자에 의하면, 계약 장소는 천화 호텔의 컨벤션 홀.]

"얼마예요?"

"7,100원입니다."

"여기 있습니다. 그럼 안전 운전하세요."

택시비를 지불하고 도로로 나온 한정우는 고개를 절레절레
흔들었다.

"거, 사람들하고는……."

번쩍! 번쩍!

"어! 저기 TBC 방송국 EP다!"

"언노운이 TBC랑 계약하는 건가?"

"어? 잠깐만. 저기 NET미디어 EP도 오는데?"

"응? 온게임즈는 아예 국장도 같이 왔잖아……?"

속속들이 호텔 내부로 들어가는 방송 관계자들의 모습에 기자들이 고개를 갸웃거렸다.

천화 그룹의 경호원들에게 막혀 입구 안쪽으로 들어가지 못하는 기자들은 연신 카메라의 셔터만 눌렀다.

찰칵, 찰칵!

"일단 찍을 수 있는 거 전부 찍어! 그래야 나중에 확정 기사 나오면 사진 하나라도 건지지!"

"방송국 EP들 위주로 찍어! 계약 따내는 건 그 치들 몫이니까."

그러기를 잠시. 훤칠한 청년 하나가 기자들 사이를 끼어들면서 연신 중얼거렸다.

"죄송합니다. 지나갈게요. 죄송합니다. 저 호텔에 좀 들어가야 해서……."

"아, 거. 밀지 마요! 당신 기자 아니야?"

"아닙니다. 좀 지나갈게요."

기자들의 벽을 겨우 뚫고 나온 청년은 십년감수한 표정으로 당당하게 호텔 내부로 들어갔다.

"방금 지나간 녀석 배우나 모델인가?"

"뭐? 나도 언뜻 보긴 했는데. 그렇게 잘 생기진 않았었잖아? 몸은 제법 좋았지만."

"그건 그런데…… 뭐라고 해야 되나. 위엄? 그런 게 느껴졌어. 배우나 모델들이 그런 분위기 잘 잡잖아?"

"에이, 난 또 뭐라고. 나도 똥 마려울 때 거울 보면 엄청 위엄 있어 보여."

"지랄은."

"크큭. 그나저나 언노운으로 추정되는 놈은 왜 하나도 없는 거야?"

"그러게 말이다."

호텔의 입구에서 진을 치고 있던 기자들은 하염없이 언노운만 기다렸다.

"후우, 무슨 기자들이 저리 많아."

커뮤니티 댓글을 보면서 느끼는 인기와, 실제 사람들에게 둘러싸여서 실감하는 인기.

그 둘의 차이는 컸다.

그 사실을 깨닫고 살짝 긴장한 한정우는 엘리베이터 내부의 거울을 보며 중얼거렸다.

"잘할 수 있어. 피도 눈물도 없는 언노운을 흉내…… 아니, 아니지."

지이잉.

천천히 엘리베이터의 문이 열리고 대기하고 있던 직원이 고개를 숙이며 그를 안내했다.

'언노운을 흉내 낸다? 그게 아니야. 내가 미믹도 아닌데 흉내를 왜 내겠어.'

끼이이익.

호텔의 VIP들만이 입장할 수 있는 컨벤션 홀이 열리자,

한정우는 당당한 걸음으로 안으로 들어섰다.

자신을 쳐다보는 십 수 쌍의 눈동자를 똑바로 마주한 한정우는 고개를 까딱였다.

천천히 열리는 그의 입에서 자신감 가득한 목소리가 흘러나왔다.

"와주셔서 감사합니다. 제가 언노운입니다."

단상에 서서 자기소개를 하는 남자는 더 이상 별 볼 일 없는 22살의 휴학생이 아니었다.

그는 미드 온라인 랭킹 1위의 절대자.

언노운 그 자체였다.

+ 52장 +
오염된 땅

언노운, 한정우가 컨벤션 홀에 들어온 순간.

방송 관계자들의 눈동자에 이채가 서렸다.

'호오. 저 청년이 언노운이라고?'

'예상보다 훨씬 어린데?'

'생김새만 보면 한국인인 것 같기도.'

'다만 영상에서 보던 압도적인 카리스마가 느껴지지는 않는군.'

처음에는 의아한 표정의 방송 관계자들이었지만,

"와주셔서 감사합니다. 제가 언노운입니다."

한정우가 단상에서 입을 여는 순간 그 생각은 바로 뒤집혔다.

'음. 역시 만만히 볼 청년은 아니군.'

'저렇게 앳되어 보이는데도 전신에 자신감이 넘치고 위엄이
스며들어 있다.'

'분명 수많은 역경과 고난을 헤쳐 나가면서 최고가 된 이들만이 뿜어낼 수 있는 기운이겠지.'

'그럼 그렇지. 미드 온라인의 최고가 된다는 건 행운만으로 거머쥘 수 있는 게 아니니까.'

짧은 소개로 강렬한 인상을 남긴 한정우가 말을 이었다.

"오늘 여러분을 모신 이유는 다들 아시리라 생각합니다."

미드 온라인 최초의 전쟁.

1만이 넘는 뮬딘 교의 군대와 NPC만 1,500명.

유저 포함 2,000명이 넘어가는 세력의 전쟁!

이 영상의 송출권을 구매하기 위해 방송국의 고위 관계자들은 이 자리를 찾은 것이다.

"단도직입적으로 말씀드리겠습니다. 해외의 방송국 중 92억을 부른 곳이 있습니다."

"9, 92억……!"

"끄응."

"이건 뭐, 시장 크기 자체가 다르니 머니 파워도 이렇게나 차이가 나버리는군."

"영상의 판권 하나 사는데 저 정도 돈을 거리낌 없이 지르다니……."

많아 봐야 15억에서 20억을 생각하던 이들의 표정이 순식간에 굳어졌다.

'예상했던 반응들이네.'

그들의 표정을 살피던 한정우는 부드러운 미소를 지으며 말을 이었다.

"다들 표정이 너무 딱딱하시니 말씀드리겠습니다. 사실 저도 머리가 있으니 방송국 관계자분들의 입장과 심정을 잘 이해하고 있습니다. 한국이라는 작은 나라에서 해외보다 더 좋은 조건을 제시하는 건 현실적으로 힘들겠지요."

끄덕끄덕. EP와 국장들이 천천히 고개를 끄덕이며 한정우의 말에 동조했다.

"그렇지. 아무래도 시청자들의 숫자부터 말도 안 되게 차이가 나니까."

"미국이나 중국…… 아니, 하다못해 일본만 해도 한국 시장과는 파이가 비교도 못 할 만큼 크니까."

"92억……. 한국에서는 영상 하나 산다고 내놓을 수 있는 돈이 아니지."

상당히 긍정적인 반응이었다.

한정우가 처음 92억이라는 말을 꺼냈을 때 경매 자체를 포기해버린 사람들은, 말 잘 듣는 학생들처럼 그의 다음 말이 이어지기를 얌전히 기다렸다.

"다들 눈치를 채셨겠지만 저는 한국인입니다. 한국에서 나고 자랐고, 국적도 대한민국이지요."

"역시!"

"이전 랭킹 1위였던 유하린도 한국인이라는 소문은 있었지만 확실하지는 않았는데…… 언노운이 한국인이라니!"

"거래와는 별개로 정말 자랑스럽군!"

"얼마나 험난한 모험들을 했을지 궁금할 지경이야."

올림픽 시즌 때, 대한민국의 선수가 금메달을 따면 모든 국민들이 박수를 보내며 이를 자랑스러워한다. 한정우의 경우도 마찬가지였다.

'비록 게임일 뿐이지만, 누적 가입자 수만 10억 명이 넘는 게임이지.'

그런 곳의 1등. 한마디로 10억 분의 1이라는 확률의 존재가 한국인이라는 것이니까.

그 사실만으로도 국장과 EP들은 흐뭇한 표정을 지었다.

오늘 한정우가 이용하려는 부분도 바로 이 점이었다.

'내가 한국인이라는 점을 내세워, 일부러 자국에 영상을 판다는 부분을 강조하자.'

본래 사람은 첫인상에 크게 좌우된다.

첫인상이 별로인 사람이라면 착한 일을 해도 꼴 보기 싫은 것은 만국 공통적인 사항!

반면에 첫인상이 좋다면, 길을 가다가 우스꽝스럽게 넘어져도 귀엽게 보인다.

'첫인상은 강렬하게. 그리고 그 뒤에는 부드럽게.'

방송 관계자들의 마음을 가볍게 뒤흔든 한정우가 입을 열었다.

"오늘 여러분들께서 경매에 참여하시기 전에, 제가 내걸 조건은 단 두 가지뿐입니다."

"조건이 어떻게 되는지 들어볼 수 있나?"

"너무 무리한 조건이 아니었으면 좋겠군."

"제 조건은 간단합니다."

잠시 말을 멈춘 한정우는 마치 어미 새를 보듯 자신을 바라보는 이들을 향해 말했다.

"첫째. 경매 최저 시작 금액은 15억으로 할 것."

"15억이라? 흠. 나쁘지 않군."

"저 정도면 예상 범위 내야."

"시작 가가 저러면 경매가 치열해져도 맥시멈은 25억 정도……?"

"그래도 영상 하나 값으로는 제법 비싸지 않나?"

"무슨 소리인가? 해외에서 제시한 92억과 비교하면 착한 수준이지. 온게임즈는 참여하겠네."

대다수의 관계자가 보여주는 긍정적인 반응에 한정우가 씨익 웃었다.

'만약 내가 해외 방송국에서 92억을 제시했다는 말을 하지

않았어도 같은 반응이 나왔을까?'

한정우는 절대 아니라고 생각했다. 자신이 랭킹 1위의 언노운이라는 사실을 알고 있음에도 불구하고, 눈에 보이는 부분은 중요하니까.

'내가 무슨 짓을 해도 저들의 눈에는 고작 20대 초반의 청년으로 보이겠지.'

그렇다면 뒤에서 가격 담합을 해도 한정우가 손 쓸 방도는 없다. 게임에서라면 협상 스킬이라도 사용할 수 있겠지만, 이곳은 현실이니까.

그래서 카이는 92억이라는 패를 먼저 제시했다.

사람이란 본래 불가능한 조건을 먼저 보여준 뒤, 아슬아슬하게 가능할 법한 것을 요구하면 생각보다 느슨해지는 법.

'이건 여명의 검술관 등록비를 낼 때 배웠지. 음음.'

하나같이 피가 되고 살이 되는 과거의 경험들.

한정우는 지체없이 두 번째 조건을 내걸었다.

"두 번째. 영상 편집에 마이클 레이놀드를 프로듀서로 참여시켜 주십시오."

"……응?"

"하지만 우리는 지금 이 영상의 판권 자체를 사려고 하는 것인데……."

"다른 곳에서 편집자를 데려오면 그건 우리의 영상이라기보다는 으음……."

"게다가 아마추어이기도 하고."

직접 프로젝트를 관리하는 EP들이 살짝 불쾌한 기색을 내비쳤다.

하지만 한정우는 전혀 주눅 들지 않은 기색으로 말했다.

"마이클은 제 영상을 몇 번이나 편집해 준 사람이며, 이미 그 실력은 업계에 정평이 난 상태입니다. 실제로 그가 만든 제 영상은 모두 영상미가 뛰어나기로 세계의 인정을 받은 상태지요."

"그거야 그렇지만……."

"물론 영상 편집을 잘하긴 하네. 하지만 이건 단순한 레이드가 아니라 전쟁이야."

"단순히 영상을 편집하는 시간만 몇 주가 걸리는 대형 프로젝트지."

"차라리 돈을 더 얹어주고 독자적으로 만드는 건 안 되겠나?"

자신들의 밥그릇에 다른 숟가락이 올라오는 것이 싫다는 눈치. 그러나 이 부분에 관해선 한정우도 물러설 수 없었다.

"물론 저도 프로듀서 분들과 감독님, 편집자 분들을 존중합니다. 하지만 제 입장도 있지 않습니까? 제가 마이클과 아무런 상의 없이 방송국에 영상을 맡긴다면 제가 뭐가 되겠습니까. 그러니 마이클에게 한 번만 기회를 주십시오."

"……끄응. 좋아, 대신 마이클의 실력이 명성에 비해 별로라면……."

"물론 그 이후에 관해선 터치하지 않겠습니다. 프로는 실력으로 말하는 것이니까요."

말은 그렇게 했지만, 한정우는 걱정하지 않았다.

'마이클의 실력은 세계에서도 톱급이야. 본인이 귀찮아서 언더 쪽에서 활동하고 있지만……'

이제 자신은 커뮤니티의 동영상 게시판이 아닌, 브라운관으로 진출하게 되었다.

하지만 그 영상을 편집할 때 방송국을 무시하고 마이클에게 맡길 수는 없는 법.

'그러니 마이클, 미안하지만 양지로 올라와 줘야겠어.'

물론 본인이 거절하면 말짱 꽝이겠지만, 한정우는 그가 제안을 수락할 것이라고 생각했다.

'그야, 마이클한테는 벌써 앞부분을 보여줬으니까.'

마이클은 영상 편집을 누구보다 사랑한다.

그게 아니라면 잠조차 줄여가면서 일감에 파묻혀 지내지는 않을 터. 그 정도 열정이 있는 편집자라면, 한정우가 보낸 영상을 보는 순간 흥분할 수밖에 없다.

'본인이 손대고 싶어서 지금쯤이면 짐부터 싸고 있을 수도 있겠네.'

피식 웃어 보인 한정우는 근처의 직원을 불러 USB하나를 넘기면서 운을 띄웠다.

"본격적으로 경매가 시작되기 전에, 상품은 보여 드려야겠죠?"

"……상품이라면?"

"영상이죠."

입꼬리를 올린 한정우가 손가락을 튕기자, 컨벤션 홀의 모든 조명이 꺼졌다.

그리고 영화관과 버금가는 거대한 스크린에서, 영화와도 같은 전쟁이 시작되었다.

"……."

총 러닝 타임 6시간 57분. 중간에 두 번이나 휴식 시간을 갖춰야 할 정도로 긴 시간이었다.

다들 스케줄이 꽉 차 있는 바쁜 인사들.

하지만 그들은 누구 하나 자리를 떠나는 미련한 짓을 하지 않았다. 오히려 영상이 끝났을 때, 그들의 머리를 지배한 건 단 하나의 생각뿐.

'이건 무조건 잡아야 한다.'

'확실해, 만약 해외 방송국들이 이 영상을 봤다면, 제시가는 못해도 100억을 넘겼을 거야.'

'원본이 이 정도다. 여기에 편집으로 음향 키우고, OST 삽입하고, 이펙트까지 먹이면······.'

'영화관에서 돈 받고 상영해도 천만을 넘길 수준이다.'

이 자리의 모두는 방송 방면의 프로들. 견적만 봐도 성공을 할 수 있는지, 없는지 알 수 있었다.

그리고 그들의 날카로운 본능은 이 영상이 대박이라 말하고 있었다.

"16억."

"17억."

"18억."

"에잇, 20억! 거기다가 시청률에 따른 인센티브 5% 지급!"

그것이 경쟁이 치열해진 이유였다. 자리에 편하게 앉아 과열되는 경쟁을 관람하는 한정우의 얼굴에는 만족스러운 표정이 떠올라 있었다.

'영상을 보여주는 게 정답이었나 보네.'

한정우만해도 물건을 살 때는 꼼꼼하게 따진다.

물건의 품질은 좋은지, 가성비는 좋은 편인지, 내구도는 어떻고 사용자들의 평가는 어떤지.

하물며 수십억짜리 영상을 판매하는 일이다.

'당연히 저들이 최대한 가지고 싶게 만들어야지.'

영상을 미리 보여주고, 구매욕을 자극한 것!

결과는 아주 성공적이었다.

15억을 부르며 경매의 시작을 끊은 온게임즈를 필두로, NET미디어나 TBC, GBM방송국의 인사들이 두 눈에 불을 켜고 달려들었으니까.

'자, 그럼 얼마에 팔리려나.'

이미 가격은 38억을 초과했다.

거기에 특집 프로그램 편성은 물론이고, 시청률에 따른 인센티브는 15%까지 나온 상태였다.

"국장님. 이거 대박입니다. 제 눈 못 믿습니까? 제가 여태까지 대박 친 프로그램이 몇 갠데요."

"저번에 미국 CTN에서 수십 명끼리 치고받고 싸우던 영상 아시죠? 시청률 21% 나왔던 거요. 단언컨대, 이 영상 풀리는 순간 그건 소꿉장난으로 보일 겁니다."

"반지의 제왕이랑 명량 보셨어요? 그거랑 버금가는…… 아니. 그냥 작살 낸다니까요. 아! 예산 좀 팍팍 지원해 줘요!"

이윽고 국장에게 전화를 걸어 생떼까지 쓰기 시작한 EP들.

하지만 치열한 경쟁 속에서는 단 한 명의 승자만이 탄생하는 법.

"48억에 시청률 인센티브 20%. 거기다가 언노운 님께서 이전에 커뮤니티에 게재하신 영상들도 특집 프로그램으로 묶어서 방영하고, 인센티브도 35%로 드리겠습니다."

"음."

가볍게 고개를 끄덕인 한정우는 방긋 웃으며 오른손을 내밀었다.

"NET미디어의 낙찰을 축하드립니다."

성공적인 거래였다.

[속보! 언노운, NET미디어와 송출권 독점 계약.]

[NET미디어, '언노운과 함께 일을 진행하게 되어 기뻐' 입장 발표.]

[계약 체결 후 NET미디어의 주가 상승. 벌써부터 언노운 효과 개시?]

[빗발치는 시청자들의 문의에 답변한 NET미디어 국장, '프로그램 방영은 3주 후'.]

언노운과 NET미디어의 독점 계약 소식에 대한민국 게이머들은 난리가 났다.

"미쳤다, 이건 미쳤어!"

"아니, 그럼 언노운의 전쟁 영상을 NET채널에서 볼 수 있다고?"

"그게 다가 아니야. 한국 해설이랑 자막도 달릴걸?"

"대박. 대체 왜 한국이랑 계약한 거래?"

"그러게? 게임 방송이라면 미국 쪽이 완전 꽉 잡고 있으니 그쪽 조건이 더 좋을 텐데……."

모두가 궁금해하는 그 충격적인 이유가 밝혀지는 데에는 긴
시간이 필요하지 않았다.

불과 몇 시간 뒤, 편집을 끝낸 아리스가 언노운의 독점 인터
뷰를 공개했으니까.

조회 수는 빠르게 올라갔고, 유저들의 손가락은 그보다 더
빨라졌다.

-야야, 애들아. 너네 언노운 인터뷰 영상 봤냐?

└봤지. 언노운이 한국인이라며?

└봤음. 언노운이 카이라며?

-흑흑, 언노운 님. 치트 플레이어라고 욕하고 의심해서 죄송합니다.

-에이, 그냥 치트였잖아? 난 또 한국인인 줄 알았네ㅎ

└순서가 바뀌었잖아ㅋㅋㅋ 뭐, 의미는 똑같나.

그야말로 엎친데 덮친격. 충격이 가시기도 전에 밀려온 두
번째 파도에 사람들은 정신을 차리질 못했다.

-그럼 현재 랭킹 1위가 한국인이라는 거네?

└그전에도 한국인 아니었나? 유하린이었잖아.

└닉네임만 보면 한국인일 가능성이 매우매우 높지만…… 아닐 수도 있잖아?

└응, 아니야~ 2연속 한국인 랭킹 1위야~

물론 정신을 금세 차린 사람들도 있었다.

바로 대한민국의 게이머들이었다.

-난 언노운 무빙 볼 때부터 어? 이거 딱 코리안 무빙인데? 라고 생각했음.

└웃기고 있네ㅋㅋㅋㅋㅋ 예전 작성 게시글 보니까 템빨 길드빨 허접 쓰레기라고 적어놨더만.

└아니;; 그건 제가 친 게 아니고 저희 집 고양이가 친 겁니다.

-세계 10대 길드에는 천화. 랭킹 1위에는 언노운, 아니 카이까지!

└다시는 대한민국을 무시하지 마라!

고작 NET미디어와 독점 계약을 맺었을 뿐인데, 언노운의 계정으로 다시 한번 폭발적인 후원금이 들어올 정도였다.

"좋네."

유저들의 반응을 보며 빙그레 웃음을 지은 카이는 인터넷 창을 끄고 지도를 펼쳤다.

"오염이 심한 지역이긴 하네."

카이가 베오르크 국왕에게 하사받은 거대한 땅. 숲과 바다, 질 좋은 광석이 넘치는 땅이었지만, 지금은 누구도 살아가지 못하는 땅이었다. 물론 그 이유는 간단했다.

[푸른 역병의 기운이 감지됩니다.]
[포이즌 마스터가 발동됩니다.]
[푸른 역병에 완벽하게 저항했습니다.]

"아오사 녀석. 진짜 고맙네."

과거에 이런 땅을 오염시켜 놨을 줄이야?

'정화는 빠르면 빠를수록 좋아.'

그런 뒤 인어와 엘프들을 이 땅에 도시를 만든다.

그것이 카이의 목표였다.

'이미 도시의 이름도 정해뒀어.'

이름하여 자유의 도시, 리버티아!

카이는 그 목표를 위해 빠르게 움직였다.

"땅 하나는 미치도록 넓구나."

시야로 들어오는 모든 땅이 자신의 소유였다.

물론, 얼마 안 있어 아인종들의 손에 넘어갈 땅이었지만.

'바다도 보이고, 숲도 보이고. 흐음, 여기서부터 저어어기까지는 성채를 지어도 되겠는데?'

흐뭇한 표정으로 땅을 거닐던 카이는 고개를 끄덕였다.

"뮬딘 교 녀석들. 드워프들에게도 수작을 부리겠지. 이제, 그만 게으름 피우고 슬슬 움직일까."

결심과 함께 천천히 움직이던 다리가 빨라지더니, 이내 카이의 신형이 총알처럼 튀어나갔다.

'그나마 다행인건, 푸른 역병이 도사리는 땅이니 몬스터가 있을 위협이 없다는……?'

카이가 안심을 하는 순간.

전방에서 무언가가 빠른 속도로 그에게 날아왔다.

촤아아아악!

마치 림보를 하듯, 허리를 뒤로 젖혀 이를 피해낸 카이. 날카로운 가시가 박힌 덩굴은 그의 코끝을 스치고 지나갔다.

'이, 이거 조금만 늦게 반응했으면……'

아주 정통으로 맞았을 것이다.

목구멍으로 꿀꺽 넘어가는 침과는 별개로, 카이는 자신을 공격한 것을 쳐다봤다.

[오염된 플란티아 LV. 320]

"레벨이 320이라고?"

깜짝 놀란 카이가 녀석의 모습을 꼼꼼하게 살폈다.

'기본적인 형태는 260레벨의 몬스터, 플란티아가 맞는 것 같은데……'

플란티아는 식물의 형상을 한 거대한 몬스터였다.

하지만 지금은 전신에 독버섯 같은 것이 피어오른 상태.

'오염된인가……'

정황상 푸른 역병에 오염되었다는 말일 터.

'이건 전투가 끝나면 바로 물어봐야겠어.'

결심을 내린 카이는 검부터 뽑아냈다.

"320레벨. 확실히 높긴 높지만……."

지난 전쟁을 통해 카이는 말도 안 되게 강해졌다.

"신성 폭발!"

콰드드득!

카이가 박찬 바닥이 그대로 파괴되며 파편이 튀었다.

동시에 플란티아의 뒤에서 나타난 카이의 검은 정확하게 녀석을 양단했다.

서격! 좌아아아악!

갈라진 녀석의 피부에선 녹색의 찐득하고 냄새나는 액체가 분수처럼 뿜어져 나왔다.

하지만 카이는 이를 무시하고 계속해서 검을 휘둘렀다.

서격, 서격!

오염된 플란티아가 폴리곤으로 변하는 데 걸린 시간은 겨우

8초 남짓. 다섯 번의 칼질이 만들어낸 결과였다.

"경험치는 무지막지하게 주네."

인상을 찡그리며 인벤토리의 물통을 꺼내 녀석의 피를 닦아 낸 카이가 입을 꾹 다물었다.

'이거 왜 이런 건지 물어보긴 물어봐야 하는데······.'

카이는 짜게 식은 눈으로 손가락을 움찔거렸다.

[체란티아의 사념과 대화하기.]
[시미즈의 사념과 대화하기.]

각각 성환 페트라와 성의 니케에 달린 특수 기능이다.

선대 사도들의 사념과 대화를 하며 지혜를 구할 수 있는 홀륭한 기능······.

'······은 개뿔. 지난번에 두 명이랑 동시에 대화하다가 죽는 줄 알았지.'

성불하지도 않고, 자신을 졸졸 따라다니며 서로 대화를 나누는 사념들이란······.

그때의 끔찍한 기억을 떠올린 카이는 몸을 부르르 떨며 손을 움직였다.

"그래도 체란티아보다는 시미즈가 그나마 더······."

시미즈와의 대화를 선택한 카이.

그 대가로 5,000의 신성력이 훅하니 빠져나갔다.

동시에 그의 앞으로 모습을 드러내는 반투명한 인영.

-어머. 4대 분이시군요.

"시미즈."

-네에.

입가를 가리며 어렴풋이 웃는 여인은 바로 초대 태양의 사제였던 수호의 시미즈였다.

펑퍼짐한 사제복을 입고 머리 위에는 반짝이는 써클렛을 장비하고 있는 모습.

시미즈는 사슴 같은 눈을 깜빡이며 물었다.

-오늘은 어떤 용무이신가요? 아! 체란티아 님은 어디에 계시죠? 지난번에 셋이서 대화를 했을 때는 정말 뜻깊고 좋은 시간을 보냈답니다. 혹시 가능하시다면 오늘도 세 명이서 대화할 수 있을까요?

"아니요. 절대, 절대 안 됩니다."

카이는 제 발로 지옥에 걸어 들어가는 미련한 사람이 아니었다.

단호하게 거절을 당하자 시무룩한 표정을 짓는 시미즈.

카이는 그녀에게 물었다.

"시미즈. 주변을 좀 봐줘요."

-주변이라 하면……. 음! 이 기운, 푸른 역병이군요.

장난스러운 표정을 지워낸 시미즈는 교황의 위엄에 걸맞은 시선으로 주위를 둘러봤다.

　"과거에 이 장소를 덮은 푸른 역병 때문에 생명이 살지 못하는 곳이라 들었습니다. 그런데 몬스터들이 버젓이 돌아다니고 있더군요. 그것도 오염된 상태로요."

　-이런 경우는 저로서도 처음이네요. 연기 형태로 퍼져나가는 푸른 역병은 시간이 지나면 사라질 수밖에 없는데…… 혹시 이곳의 위치가 어떻게 되나요?

　카이는 지도를 펼쳐 그녀에게 보여주었다.

　이에 옅은 한숨을 내쉬는 시미즈.

　-이곳은 예전에 뮬딘 교의 비밀 기지가 있던 곳이군요. 아마 아오사에 대한 연구와 실험이 반복되던 곳일 거예요.

　"그렇다면 이 땅을 오염시키고 있는 독들은……"

　-예. 아오사의 독을 이루고 있는 근원 정도라고 생각할 수 있겠지요.

　시미즈의 설명에 카이가 옅은 한숨을 내쉬었다.

　'생각보다 귀찮은 일이 되어버렸네.'

　이 넓은 땅을 정화하고 다니는 것만 해도 무척이나 힘든 일이다. 그런데 뮬딘 교의 역병 실험으로 인해 변질된 몬스터들까지 도사린다면?

　'언제 끝날지 알 수가 없어……'

아랫입술을 깨문 카이가 재차 질문했다.

"최대한 빠르게 이 땅을 정화하는 법이 뭘까요?"

-음. 아마 무리일 거예요. 4대 분이 얼마 전에 아오사를 처치했다고 하셨죠?

"예."

-이 독들의 근원은 아오사. 녀석이 직접 와서 이 독들을 흡수하지 않는 한, 쉽게 사라지지 않을 거예요. 물론 사도의 힘을 이용해 강제로 없앨 수는 있겠지만…….

카이를 스윽 쳐다본 시미즈가 고개를 절레절레 저었다.

-그러게 제가 뭐라고 했지요? 태양교 본단으로 가서 사도의 진정한 힘을 계승받으라고 했잖아요.

"아, 그게 너무 바빠서……. 이번 정화 작업이 끝나면 찾아가려고 했습니다만."

낭패를 감추지 못한 카이는 땅이 꺼져라, 한숨만 푹푹 내쉬었다.

하녹스의 시련을 정상적으로 모두 클리어한 그에게, 시미즈와 체란티아는 말했다.

-태양교의 본단으로 향하세요.

-교황을 만나 사도의 진정한 힘을 계승 받아라.

물론 카이에게 그 정도의 시간 여유는 없었다.

당장 엘프들이 그를 기다리고 있던 중이었으니까.

'그래서 이번 정화 작업을 빠르게 마치고 태양교 본단을 방문할 셈이었는데…….'

설마 지금의 힘으로는 정화하기 힘들 정도로 심각하게 오염되어 있었을 줄이야.

시미즈는 애처로운 표정의 카이를 위로했다.

-아쉽겠지만 지금이라도 빨리 본단으로 향하세요. 어차피 죽은 아오사가 돌아오지는 않습니다.

"……그런데 아오사가 살아 돌아오면 뭐가 달라집니까?"

-아오사는 뮬딘 교의 연구 끝에 푸른 역병을 자유자재로 다룰 수 있게 된 크리처예요. 아까도 말했지만, 녀석이 이 자리에 있었다면 푸른 역병의 힘을 빨아들일 수 있었을 거예요. 뭐, 그렇게 된다면 녀석의 힘이 더 강력해질 테니 절대 추천하지 않는 방법이긴 하지만요.

"아오사가 흡수를 할 수 있다고요?"

눈을 반짝거린 카이가 중얼거렸다.

"강화 소환, 미믹."

[강화 효과로 인해 최대 생명력 증가가 부여되었습니다.]

미믹은 제일 처음 소환되면 슬라임 같은 모습을 취하고 있다. 여기서 자신이 완벽하게 흉내 낸 몬스터들을 자유롭게 흉내 낼 수 있는 미믹.

'평소에는 기본 형태일 때, 자는 모습밖에 못 봤는데…….'

오늘은 무언가가 달랐다. 슬라임 같은 몸으로 바닥을 빨빨거리며 기어 다니기 시작한 것!

그 모습을 쳐다보던 시미즈가 고개를 갸웃거리며 물었다.

-카이님, 이 조그맣고 귀여운 생물은 무엇이지요?

"아, 미믹이요? 이 녀석은……."

무엇이라 설명할지 고민하던 카이는 어깨를 으쓱거리며 중얼거렸다.

"아오사의…… 프로토 타입 같은 녀석이랄까요?"

-그게 대체 무슨……?

늘 잔잔한 호수처럼 침착함을 고수하던 시미즈는 드물게 당황한 표정을 지었다.

그도 그럴 것이, 주변을 가득 메운 푸른 역병이 미믹의 몸으로 흡수되기 시작했으니까.

[미믹이 푸른 역병의 근원을 흡수하기 시작했습니다.]

[모든 흡수가 완료되면 미믹이 푸른 역병의 힘을 완벽하게 다룰 수 있습니다.]

[흡수율 0.3%…….]
[흡수율 0.4%…….]

"호오."

재미있는 메시지들의 향연에 카이의 입꼬리는 하늘로 향했다.

부모가 자식을 키우면서 가장 행복할 때는 언제일까.

시험에서 좋은 성적을 받아왔을 때?

유치원에서 배운 율동과 노래를 불러줄 때?

카이는 고개를 절레절레 흔들었다.

"자고로 자식이 밥을 복스럽게 잘 먹고 진화를 목전에 두고 있을 때가 가장 행복하지."

흐뭇한 아빠 미소를 입가에 걸친 카이.

그의 옆에는 슬라임 형태의 미믹이 바닥을 뽈뽈 기어다니며 열심히 독연을 먹는 중이었다.

[흡수율 99.4%……]

조그마한 미믹을 데리고 그 넓은 땅을 모두 돌아다니는 것은 상당한 고역이었다. 독기가 강한 지역에 도달하면 미믹은 몇 시간 동안 움직이지 않고 독을 흡수하기도 했다.

'벌써 보름이 넘었나…….'

카이는 3주 동안 오염된 지역 중 안 가본 곳이 없을 정도였다.

곡식이 자라기 좋은 평야와 건물을 세우기 좋은 단단한 땅에 이어, 지금은 죽어 버렸지만 자신이 곧 살릴 숲. 심지어 오염된 바닷속까지!

그 모든 곳을 미믹과 함께 돌아다닌 카이는 곧 다가올 노동의 해방에 미소를 지었다.

그 노동이란 건…….

-카이 님. 너무 지루한데 체란티아 님 좀 불러주시면 안 될까요? 하시는 일 방해 안 하고 조용히 대화만 할게요.

"두 분이 조용히 대화하는 건 불가능하니 기각하겠습니다."

-정말이에요. 저는 초대 태양의 사제이자 교황이었단 말이에요. 왜 저를 못 믿으시나요?

"……"

바로 지난 보름 동안 시미즈가 따라다녔다는 것이다.

'아니, 예전에 하녹스의 시련에 있을 땐 금세 사라졌잖아. 이번엔 왜 이렇게 오래 따라다녀?'

그 이유에 대해선 시미즈가 설명해 주었다.

-카이 님이 저에게 오염된 대지에 대해 물어보셨잖아요. 이 일이 무사히 마무리되기 전까지, 저는 아마 카이 님을 쫓아다닐 거예요.

"……이럴 수가."

자신의 일이 끝나기 전까지 사라지지 않고 따라다니는 사념이라니!

'앞으로는 정말 뭐 간단한 거 물어볼 때만 불러야지.'

오염된 몬스터들을 잡는 것보다, 시미즈의 말 상대가 되어 주는 게 더 피곤할 정도였다.

카이가 그 고통에서 해방된 건 몇 시간 이후의 일이였다.

[미믹이 푸른 역병의 흡수를 완료했습니다.]

[미믹이 푸른 역병의 힘을 완벽하게 다룰 수 있게 되었습니다.]

[일대의 오염된 대지가 완벽하게 정화되었습니다. 이 땅 위에는 다시금 생명체가 살아갈 수 있을 것입니다.]

"아이고! 우리 미믹! 드디어 다 먹었구나!"

자랑스러운 미믹의 머리를 슥슥 쓰다듬은 카이는 녀석을 역소환했다.

"고생했으니 편히 쉬고 있어."

미소를 지은 카이는 곧장 미믹의 스킬 목록을 확인했다.

그러자 확실히 등록된 푸른 역병 스킬이 눈에 들어왔다.

'미믹까지 푸른 역병을 다룰 수 있게 되었다니. 이건 생각지도 못한 수확이야.'

게다가 스킬 설명을 읽어보니, 미믹은 자신처럼 몬스터들을 잡아 기운을 모을 필요도 없다.

'말 그대로 푸른 역병을 완벽하게 컨트롤할 수 있어. 마치 예전의 아오사처럼 말이지.'

애초에 미믹은 아오사의 근원을 담당하던 핵이었다.

한 마디로 아오사 때 사용하던 기술을 사용하지 못할 리가 없다는 뜻.

'그럼…… 레벨이 오르게 되면 아오사처럼 거대해질 수도 있으려나?'

정말 그렇게 된다면 무서울 것이 없을 터.

기분 좋은 상상을 마친 카이는 현실적인 문제로 시선을 돌렸다.

"이제 문제는……."

-남아 있는 오염된 몬스터들이겠네요. 푸른 역병이 없어진 지금, 대지와 바다는 자정 작용에 의해 깨끗함을 되찾아갈 거예요.

시미즈의 말에 카이가 고개를 끄덕이며 동의했다.

"그렇죠. 오염된 몬스터들이 문제인데…… 사실 그것도 지난 보름 동안 대충 생각을 해봤어요."

-아직 이 땅을 돌아다니는 오염된 몬스터들의 숫자는 수만 마리가 넘어요.

"예. 많죠. 정말이지 미치도록 많이 남았어요."

하지만 카이는 울상을 짓는 대신, 미소를 지었다.

'엘프와 인어들을 끌어와 이곳에 도시를 만들면 자연스럽게 유저들도 모여들겠지.'

하지만 유저들은 기본적으로 강해지기를 원하는 자들. 엘프와 인어들이 신기하기는 해도, 방문 목적이 그것이 전부라면 금세 질릴 것이다.

'그렇다면 만들어줘야지. 새로운 방문 목적을.'

때문에 카이가 구상한 것은 바로 오염된 몬스터들이었다.

레벨 290부터 340까지 골고루 등장하는 오염된 몬스터.

'랭커들에게 있어선 최고의 사냥터라고 할 수 있지.'

한 마디로 현존하는 최고 수준의 사냥터라 칭해도 부족함이 없는 것이다. 게다가 이전에는 푸른 역병 때문에 사냥이 불가능했지만, 지금은 달랐다.

'미믹은 모든 역병을 흡수했어. 나 같은 포이즌 마스터가 아니더라도 일반 유저도 사냥이 가능해.'

랭커들에게 소문을 뿌려 이곳의 사냥터가 좋다는 것을 알리는 것이 카이의 목적.

'랭커들이 많이 방문하게 되면 지역 상권은 자연스럽게 살아나지.'

그들은 돈 몇 푼을 아끼는 것보다 시간을 아끼는 것을 선호했다.

한 마디로 가격이 조금 비싸도 가까운 마을에서 모든 것을 구입한다는 뜻.

'이 정도 장치만 마련해 주면 엘프와 인어들이 인간과 무리 없이 섞일 수 있을 거야.'

흐뭇한 표정을 지은 카이는 곧장 엘프의 숲으로 달려갔다.

"벗이여. 그 말이 사실인가? 숲과 바다가 있고, 질 좋은 광석까지 있는 땅이라고?"

"사실이야. 다만, 숲의 경우에는 오염의 정도가 조금 심한데……."

"후후. 나를 너무 무시하는 것 아닌가? 나는 세계수. 자연의 수호자이자 엘프들의 어버이. 오염된 숲 하나쯤을 정화하는 건 너무나도 쉬운 일이다."

"그럼 엘프들의 이주는 언제쯤 할 수 있지?"

"당장에라도 가능하네만……. 아무래도 준비가 필요하겠지."

"준비? 무슨 준비가 필요……."

"거리가 무척이나 멀지 않나. 그 먼 거리를 이동하려면 당연히 철저하게 식량을 준비해야……."

"아, 그 부분은 라시온 왕국의 마탑 중 한 곳의 도움을 받으라고 폐하께서 손을 써주셨어."

카이는 베오르크에게 적탑의 도움을 받을 권한을 부여받았다. 한마디로 텔레포트 마법을 통해 엘프들을 모두 새로운 땅으로 이주시킬 수 있다는 뜻이다.

"오오, 그것이 정녕 사실인가? 그렇다면 더 이상 꾸물거릴 이유는 없지."

루테리아의 명령이 떨어지자 엘프들은 두말 않고 짐을 싸기 시작했다.

"사악한 퓰딘 교를 대륙에서 몰아내는 날. 이 숲으로 다시 돌아오리……."

루테리아의 각오가 서린 목소리와 함께 엘프들의 이동이 시작되었다.

인어들의 사정도 크게 다르지는 않았다.

"흠. 바다로 연결된 곳이라면, 우린 세계의 어느 곳이라도 갈 수 있지."

오히려 인어들의 이동은 엘프들보다도 손쉬웠다.

그들의 왕국을 짊어지고 있는 거북이, 타루타루는 매우 빠르게 움직일 수 있었으니까.

"이곳이 우리가 새롭게 살아갈 터전인가."

"으음, 아직 완벽하게 정화가 된 건 아니지만, 이 정도면 괜찮군."

"그 부분은 내가 도와줄 수 있다네. 인어들의 왕이여."

"이거, 세계수님 아니십니까. 오랜만에 뵙습니다."

"음. 많이 컸구나."

오랜만에 해후를 나누는 두 종족. 그 모습을 감동스러운 표정으로 쳐다보던 카이가 슬쩍 고개를 돌렸다.

-무언가 궁금한 점이라도?

"……."

많다. 무지막지하게 많다.

카이는 아직까지 사라지지 않은 시미즈를 향해 물었다.

"저기…… 왜 안 사라져요?"

-해드릴 말이 있어서 필사적으로 버티는 중이에요.

"아니, 그거 버틸 수도 있는 거예요?"

충격적인 발언에 황당한 표정을 지은 카이는 머리를 긁적였다.

"뭐, 좋습니다. 할 말이라는 건 뭐예요?"

-태양교의 본단을 방문하실 생각이지요?

"네. 사도의 진정한 힘을 계승하려면 가야죠."

-조심하세요.

목덜미에 날붙이라도 댄 것 같은 시미즈의 차가운 경고.

카이는 눈매를 좁히며 되물었다.

"무슨 뜻입니까?"

-3대 사도인 패트릭이 왜 성물을 본단에 맡기지 않았는지를 곰곰이 생각해 보세요.

"패트릭이 성물을 아인종들에게 맡긴 이유라……."

이유라고 해봐야 더 있을까.

"신뢰할 수가 없어서겠죠."

-맞아요. 신뢰. 카이 님이 그들과 신뢰를 쌓을 수 있다면 다행이겠지만…….

"흠. 신을 믿는 이들이라고 해서 전부 청렴결백한 건 아닌가 봐요?"

시미즈는 쏩쓸한 미소를 지으며 고개를 끄덕였다.

-빛이 있으면 그림자가 있는 법이에요. 특히 빛이 더 밝아질수록 그림자는 짙어지죠.

"세상에서 가장 밝은 빛이 존재하는 곳. 태양교의 본단도 같은 이치군요."

카이가 이해했다는 표정을 지었다.

-그럼 무운을 빌어요.

그 말을 끝으로 반투명했던 시미즈의 모습이 점점 더 옅어져 갔다.

카이를 슬픈 눈빛으로 바라보며 눈물을 흘리는 시미즈.

그 모습을 쳐다보던 카이는 헛웃음을 지었다.

"아니, 부르면 또 나올 거면서 왜 그래요?"

-이쪽이 더 기억에 남고 슬픈 이별일 테니 조금 더 자주 불러주겠지요.

"……."

대체 천국이라는 곳은 얼마나 심심한 곳이기에?

고개를 절레절레 젓는 카이에게 인어들의 왕, 카리우스와 엘프들의 여왕 엘라니아가 다가왔다.

"누구와 그렇게 대화를 하고 있는 건가?"

"음? 카이 님은 혼자 계시지 않았나요?"

다른 사람의 눈에는 시미즈의 사념이 보이지 않는다.

카이는 이상한 사람 취급을 받는 것이 싫었기에 고개를 저으며 입을 열었다.

"아무것도 아닙니다. 땅은 마음에 드십니까?"

"네. 루테리아 님의 힘으로 숲은 빠르게 정상화가 되고 있어요. 다들 엘프들도 새로운 터전을 마음에 들어 하는 눈치예요."

"우리도 마찬가지일세. 이쪽 바다에는 식량이 아주 풍부하군. 아마 오랜 시간 동안 주변에 포식자들이 없었기 때문이겠지."

"마음에 드신다니 다행입니다."

카이는 빙그레 미소를 지으며 그들에게 축하의 인사를 건넸다.

"엘프와 인어. 두 일족이 모여서 생활하시면 뮬딘 교의 침공을 더욱 수월하게 방어하실 수 있을 겁니다. 게다가 모험가들도 꾸준히 이곳을 방문할 테고, 원하시면 라시온 왕국에서도 지원병을 파견해 준다고 하니 얼마든지 말씀하세요."

"아니에요. 이런 땅에서 살 수 있게 되었는데, 당연히 치안 정도는 스스로 지켜야죠."

"음. 우리는 뭍에서 큰 힘을 발휘할 수야 없겠지만, 바다 쪽의 보안만큼은 철통같이 막을 수 있네."

"예. 그럼 제 도움이 필요할 때면 언제든지 불러주세요."

카이가 작별의 인사를 내뱉으며 고개를 꾸벅 숙였다.

이제는 태양교의 본단으로 떠나야 할 때.

'그런데……'

카리우스와 엘라니아, 그리고 그녀의 어깨 위에 탄 루테리아의 표정이 이상하다.

어색한 공기 속에서 카이는 조심스럽게 입을 열었다.

"저기, 혹시 제가 무슨 잘못이라도……?"

그러자 오히려 그 질문이 당황스럽다는 표정을 짓는 세 사람.

"아니…… 자네 어디 가나? 이 도시의 영주를 맡는 게 아니었나?"

"당연히 카이 님이 해주신다고 생각했는데요……."

"벗이여. 이들이 자네와 대화를 잘한다고 하지만, 인간과 수십 년 동안 교류를 하지 못한 엘프, 인어들이라는 것을 망각하면 안 된다네. 인간과 아인종. 중간 지점에서 그들을 이어줄 존재가 필요해."

"……"

평소보다 한 박자 늦게 돌아가는 머리. 이윽고 저들의 말

뜻을 이해했을 때, 카이가 깜짝 놀란 음성으로 소리쳤다.

"자, 잠깐만요! 그럼 지금 저보고 이 도시의 영주가 되어달라는 말이십니까?"

"바로 그 말일세."

"자네야말로 그 역할에 어울리지."

"아니, 저는 한 번도 누군가를 이끌어본 적이……."

"무슨 말을 그리 섭하게 하는가?"

루테리아가 조그맣고 가느다란 줄기를 뻗어 카이의 머리를 토닥였다.

"벗이여. 그대는 엘프와 인어들을 훌륭하게 이끌어 뮬딘 교와의 전쟁에서 대승을 거두었네. 스스로가 자각하지 못했을 뿐, 많은 이들을 이끌 자격이 충분한 사람이라네, 그대는."

"하지만……."

말을 이으려던 카이는 입을 꾹 다물었다.

루테리아와 엘라니아, 카리우스의 눈빛은 그의 입을 다물게 할 정도로 진지했으니까.

잠시 후, 카이는 마지막으로 질문을 던졌다.

"정말 괜찮겠습니까? 저를 믿으실 수 있으세요?"

"허허, 벗이여. 신뢰감이 없는 이에게 자식들의 운명을 맡기는 어버이는 없다네. 나는 자네를 진작부터 믿고 있었어."

"인어들도 마찬가지야. 자네는 우리 일족이 멸망할 위기에 처해 있을 때 유일하게 손을 뻗어준 자. 이런 사람을 믿지 못한다면, 세상에 믿을 사람이라는 건 존재하지 않겠지."

"……."

그들의 진심 어린 응원과 아낌없는 신뢰에 카이는 목이 매는 기분을 느꼈다.

자신이 진심으로 대했던 이들이 진심으로 부딪쳐 올 때 느껴지는 진한 감동. 그 짙은 여운을 느끼던 카이는 그들을 차례대로 쳐다보며 고개를 끄덕였다.

"여러분이 그렇게까지 말씀하신다면…… 저는 세상에서 가장 깨끗한 영주가 되겠습니다."

동시에 떠오르는 메시지.

띠링!

[플레이어 중 최초로 영주가 되었습니다.]

[스페셜 칭호, '최초의 영주'를 획득했습니다.]

[엘프, 인어 족과의 호감도가 최대치를 갱신했습니다.]

[인간과 엘프, 인어. 종족을 초월한 짙은 유대 관계에 헬릭이 눈시울을 붉힙니다.]

[선행 스탯이 10 증가했습니다.]

[영주 전용의 영지 관리창이 개방되었습니다.]

53장
태양이 떠오르는 곳(1)

'영주라니…… 내가 영주라니!'

카이로서는 정말 생각지도 못한 자리였다.

그는 순수하게 엘프와 인어, 두 종족의 안전을 위해 이 땅을 선물할 생각이었으니까.

하지만 그는 다가온 기회를 걷어찰 정도의 바보, 천치도 아니었다.

'이건 기회라고 봐야 하겠지.'

그것도 보통 기회가 아니었다.

리버티아는 풍부한 자원이 매장된 바다와 숲, 산맥을 끼고 있는 천혜의 요새. 그 말은 자신이 어떻게 관리하느냐에 따라, 이곳을 대도시로 키울 수도 있다는 뜻이다.

카이는 자신이 영주로 임명되며 새롭게 얻은 권한은 행사했다.

"영지 관리창."

[영지 관리]

이름 : 리버티아

등급 : F

인구 : 3,845명.

월수입 : 없음.

심플하다 못해 빈약하다는 느낌이 날 정도의 관리창.

하지만 카이는 그것이 마치 보물이라도 되는 양, 따뜻한 눈빛으로 바라봤다.

'3,845명이라…… 많기도 해라.'

단순히 교류를 이어오던 NPC에서, 이제는 자신이 지켜야 할 영지민이 된 이들. 카이는 자신을 빤히 쳐다보는 일족의 지도자들을 향해 말했다.

"우선 마을의 치안 상태가 너무 엉망이니 그 부분부터 손을 쓰겠습니다."

"나의 힘으로 마을 주변에 환각 마법을 치는 것이 어떤가? 누구도 이곳에 들어올 수 없을 것이네."

"……하지만 이미 한 번 뚫렸잖아요. 풀딘 교에 의해서."

"으-으음."

"꽁꽁 숨어 있기보다 세상에 모습을 드러내는 것이 오히려 더 안전해요. 강하고, 많은 모험가들이 마을에 거주하게 만드는 것이 저희 리버티아의 첫 번째 목표입니다."

"그럼 어떻게 해야 하지?"

"우선 이 거대한 땅에 낮게나마 성채를 지어야 합니다. 하지만…… 그쪽에 대한 지식은 없으시죠?"

카이의 질문에 그들은 한 치의 고민도 없이 고개를 끄덕였다.

"아쿠아베라는 분명히 왕성이 있지만…… 그건 드워프들이 만들어준 것일세. 우리는 어떻게 만드는지 알지 못해."

"저희 엘프들도 어버이의 보호 아래에 자라왔기에, 딱히 성채를 만들려는 생각을 해본 적이 없어요."

"끄응, 그럼 이 부분은 인간 기술자들의 도움을 받아야겠네요. 그러자면……."

돈이 필요하다.

그 사실을 깨달은 카이의 얼굴이 핼쑥해졌다.

'……이거, 한두 푼으로 끝날 일이 아닐 것 같은데?'

옅은 한숨을 내쉬는 카이에게 루테리아가 물었다.

"그런데 성채라는 것이 꼭 필요한 건가?"

"그야 물론이죠. 외적을 막아내는 것도 손쉬워지고……?"

형식적인 답을 늘어놓던 카이가 말끝을 흐렸다.

'가만, 진짜 성채라는 것이 필요한가?'

엘프와 인어들은 인간들의 문명과는 담을 쌓은 이들.

각자의 독특한 생활 양식을 지닌 이들이었다.

'이들에게 인간의 문명을 강요할 필요는 없어. 아니, 오히려 강요하지 않는 것이 더 좋아.'

엘프와 인어들을 보러 찾아오는 유저들은 색다른 것을 원할 것이다.

그런데 다른 도시와 똑같은 성채, 건물들을 지니고 있고 마을 주민들만 엘프, 인어라면?

'식상해, 그건 너무 식상하다고.'

눈을 감은 카이는 곧장 고민에 잠겼다.

'내가 여태까지 가본 도시들이 많지는 않아. 하지만……'

그중 가장 많은 유저들이 방문하고, 또 인기가 좋았던 것은 다름 아닌 아쿠에리아였다.

카이는 물론, 모든 사람들이 그 이유에 관해서는 확실히 말할 수 있었다.

'컨셉이 명확해. 그리고 즐길 거리도 많지.'

바다와 연결이 되어 있는 아쿠에리아는 수로 시설이 매우 발달해 있었다.

덕분에 낚시를 즐기기도 좋았고, 커플들이 도시를 관통하는 수로 시설 위에서 데이트를 즐기기도 했다.

'이탈리아의 베니스가 관광 도시로 유명한 이유와 같아.'

하지만 잘 나가는 것을 따라한다면 아류밖에 될 수 없다.

카이는 거기서 한층 더 나아가는 것을 선택했다.

'엘프와 인어. 그리고 나중에 입주할 드워프들의 동선을 모두 생각해서 도시를 만들어야 해.'

리버티아는 현재 건축물은커녕 흔한 창고 하나 없는 황무지나 다름없었다.

하지만 그 말은 곧 땅 위에 무엇이든 지을 수 있다는 것.

'중요한 건 엘프와 인어들의 마을을 방문할 때 유저들이 무엇을 기대할 것인가야.'

한참이나 생각에 사로잡혀있던 카이가 천천히 눈을 떴다.

"루테리아."

"왜 부르는가, 벗이여."

"혹시 나무들을 이용한 건축물을 만드는 것이 가능할까?"

"나는 세계수이자 자연의 수호자. 그 정도쯤은 간단하다네."

"……좋네."

미소를 지은 카이의 지시 아래에서 공사가 시작되었다.

사람이 게으름을 피울지라도, 시간은 절대 게으름을 피우지 않는다. 묵묵하고 부지런하게 그저 앞으로 흘러갈 뿐.

"아니요, 조금 더 왼쪽으로!"

주루룩!

"이렇게 말인가?"

"좋네요. 딱 그 자리예요."

카이와 인어, 엘프들도 마찬가지였다. 그들은 게으름을 피울 여유도 없이 바쁜 나날을 보내는 중이었다.

목표는 당연히 리버타아의 완성.

"이제 슬슬 마을의 윤곽이 보이는군."

"이런 곳에서 살 수 있다니……. 여기는 정말 흥미로운 공간이야."

"아름다운 공간이에요. 카이 님은 건축을 전공하셨나요?"

루테리아와 카리우스, 엘라니아의 입에서는 연신 칭찬이 흘러나왔다. 만약 카이도 자신이 계획한 도시가 아니었다면 탄성부터 터뜨렸을 것이다.

'됐어. 이 정도 퀄리티로 완성만 된다면…….'

여름의 워터파크 개장 날처럼, 끝도 없이 들어오는 모험가들을 상대하느라 바빠질 것이다.

흐뭇함을 가득 머금은 카이의 입꼬리가 승천을 목전에 둔 듯했다.

쏴아아아아.

마치 잭과 콩나무에 나오는 것처럼 거대한 나무 기둥이 마을의 중앙에 자리하고 있었다. 그리고 열매처럼 주렁주렁 매달려있는 수천 개의 건물.

'각 건물 간 이동을 하려면 계단을 통해 걸어가거나, 인어 족들의 마법이 걸린 수로 엘리베이터를 통해야만 이동할 수 있지.'

물론 주민이 아니라면 수로 엘리베이터를 이용하기 위해 요금을 내야 할 것이다.

그것이 끝이 아니었다.

거대한 나무 기둥에서는 기분을 좋게 만드는 향긋한 냄새가 뿜어져 나왔고, 수로 엘리베이터의 뒤쪽은 폭포가 마련되어 있어 아름다운 무지개를 자아내는 중이었다.

그야말로 몽환적인 느낌이 물씬 풍기는 아름다운 도시!

"이런 도시가 세상에 또 있을 리 없지."

판타지 그 자체인 도시. 마치 요정들의 나라에 온 것 같은 기분이 드는 장소였다.

"그대의 요청이 모두 끝나려면 시간이 더 필요할 것 같군."

"예. 하지만 크게 어려운 부분은 아닐 겁니다. 이제 마감만 신경 쓰면 되는 수준이니까요."

리버티아는 나무 기둥 근처가 화려한 대신, 지상 부분은 약간 허전했다.

'하지만 그건 나중에 드워프들이 합류하면 어떻게든 해결해

주겠지. 내 능력은 여기서 끝이야.'

밑도 끝도 없는 무책임한 태도. 그건 마치 중간고사 한 달 전, 내일의 자신에게 공부를 맡기는 학생의 모습과도 같았다.

'대충 마을 완성은 끝났어. 더 이상 내가 터치할 부분도 없으니…….'

이제는 정말 태양교의 본단으로 찾아가야 할 때.

카이는 일족의 지도자들에게 인사를 전했다.

"태양교 본단을 방문하고 최대한 빠르게 돌아오겠습니다."

"이곳은 너무 걱정하지 않으셔도 돼요."

"음. 우리가 알아서 잘 대처하고 있겠네."

"……그럼 믿고 다녀오겠습니다."

고개를 꾸벅 숙인 카이는 리버티아를 떠났다.

엘프와 인어들이 얼마나 일을 열심히 했는지, 길은 라시온 왕국의 수도와 버금갈 정도로 잘 닦여져 있었다.

하지만 인간이 아닌 엘프들의 기술을 사용했기에 딱딱한 포장도로의 느낌보다는, 잘 다듬어진 시골길을 걷는 듯한 기분이 들었다.

"기대된다. 리버티아."

과연 이곳이 자신의 기대대로 무럭무럭 성장할 수 있을 것인지.

카이는 당장은 쉬이 장담할 수 없는 의문을 품은 채 길을 걸어갔다.

'목적지는 태양교 본단.'

일컬어지길래 태양이 떠오르는 곳.

태양의 사제로 전직한 뒤에는 처음 방문하는 장소였다.

대륙 어딘가의 지하에 위치한 대전.

음침한 기운이 감도는 기둥들이 일렬로 늘어서 있었고, 장소의 끝에는 옥좌에 위치해 있었다.

……:

그 옥좌에 앉아 있는 남자는 검은색 로브를 입고 있었는데, 생기가 거의 느껴지지 않았다.

마치 사람이 아닌 것처럼, 그 장소에 존재하고 있지 않은 것처럼.

어둠에 동화되어 있던 그가 천천히 고개를 들었다.

-나의 충실한 종, 모라크여. 임무는 무사히 수행했는가…….

딱! 화아아악.

그가 손가락을 튕기자, 벽면에 붙어 있던 횃불들이 일제히 타오르기 시작했다.

동시에 복도를 스쳐 지나가던 검은색 연기들이 뭉치더니 사람의 형상으로 변모했다.

그는 곧장 남자의 앞에 부복하더니 고개를 숙여 이마를 바닥에 붙였다.

"예, 아트록 추기경님."

-후보는 어떻던가. 적합자이던가?

"사전에 철저히 조사한 대로, 그는 어둠의 정수를 받아들이기에 무리가 없어 보였습니다."

모라크라고 불린 남자가 자신 있게 대꾸했다.

아트록 추기경은 더 이상 묻지 않았다. 눈앞에 서 있는 자신의 종은 그를 실망시켰던 적이 없었으니까.

-그렇다면 곧장 의식을 시행하라.

"예. 하지만 최근 들어 모험가들의 방해가 이만저만이 아닙니다."

"모험가들?"

"예. 그들의 성장 속도는 보통이 아닙니다. 지금에야 벌레 같은 녀석들이지만, 오랜 시간을 주면 얼마나 성장을 하게 될지……."

"확실히 그들의 존재에 대해서는 뮬딘께서도 언급한 적이 있다."

대륙의 누군가가 이 대화를 들었다면 소스라치게 놀랄 것이다. 악신 뮬딘이라는 단어는 그만큼 대륙인들에게 충격적이었으니까.

아트록 추기경이 턱을 쓰다듬으며 고민에 빠져들었다.

가가각, 가가각.

그가 턱을 쓰다듬을 때마다 마치 칠판을 세게 긁는 듯한 소리가 났다.

-본교가 대륙에 우뚝 서기 위해서는 자그마한 변수조차 용납해서는 안 된다. 그런 와중에 모험가들이라…… 제법 귀찮게 됐군.

"제가 어찌해야 되겠나이까?"

-죽일 수 없다면 품어야겠지. 그들에게 뮬딘의 가르침을 널리 알려라.

"명을 받들겠습니다."

모라크는 잠깐 무엇이 생각난 듯, 머뭇거리며 말을 이었다.

"추기경님 그럼 카이라는 녀석은 어떻게 처리할까요."

-카이…….

아트록이 대번에 불쾌한 목소리로 중얼거렸다.

-뮬딘의 뜻을 이해하지 못하는 이교도 녀석은 처치해라.

"하지만 그는 하란 주교가 이끄는 군대를 패배시켰을 정도의 강자입니다."

-그때는 엘프와 인어, 다른 모험가들이 그의 뒤를 단단하게 받쳐주고 있었지.

콰드득.

옥좌의 팔걸이를 가볍게 쥐어서 부서뜨린 아트룩이 말을 이었다.

-두 번째 적합자의 의식이 끝나는 대로 카이에게 보내라. 시험 상대로는 적당하겠군.

그 명령에 모라크가 두 눈을 부릅떴다.

"서, 설마 그 애송이 하나를 위해 적합자를 보내겠다는 말씀이십니까?"

-우리의 대업을 몇 번이고 그르친 녀석이다. 어설픈 병력을 보내는 것보다는 확실하게 처치하는 것이 옳아.

"……명을 받들겠습니다."

고개를 푹 숙인 모라크는 다시 어둠의 연기가 되어 사라졌다.

-흐음…….

무료해 보이는 아트룩 추기경은 턱을 괴며 손가락을 까딱였다.

그러자 대전의 공기가 모조리 연소되었고, 횃불의 기능이 정지되었다.

그곳에는 언제나 그랬듯이 침묵만이 감돌았다.

기독교의 성지라 불리는 예루살렘이나 바티칸을 방문한 이들은 입을 모아 이야기한다.

그곳은 시간이 느리게 흐르는 곳이라고.

카이는 태양교 본단이 한눈에 내려다보이는 언덕에서 그 이유를 깨달았다.

'질서 정연하게 움직이는 사람들. 몸짓 하나하나에 경건함이 담겨 있는 사람들.'

그런 이들이 다수 모여 있는 곳이기에 빠름을 추구하는 타 도시와는 느낌부터가 다르다. 모든 이들이 헬릭에 대한 예의를 갖추고 조심스럽게 행동하는 듯한 모습.

"이곳이 신성 왕국, 라피스."

초대 교황의 이름을 따서 만들어진 사제와 성기사들의 왕국. 영토 자체는 타국의 대도시와 비교될 정도로 작았다.

하지만 그 어떤 세력과 나라도 라피스 왕국을 무시할 수는 없었다.

'태양교가 대륙에 끼치는 영향력은 말 그대로 사상 최고.'

그 어떤 세력이라 할지라도 라피스 왕국 내부에서의 무력 행위를 범할 수는 없었다. 그 말은 곧 두 개의 제국과 세 개의 왕국을 적으로 돌린다는 뜻이었으니까.

"역시 분쟁을 막는 최고의 방법은 힘을 갖추는 건가."

그저 그런 수준의 힘은 안 된다.

누구도 넘볼 수 없는 강력한 힘. 지니고 있는 것만으로도 상대방이 분노를 잘 조절할 수 있도록 도와준다.

'마치 골리앗을 요리하던 바체처럼.'

가볍게 고개를 끄덕인 카이는 언덕을 내려갔다.

제법 쌀쌀한 온도가 감도는 라피스 왕국의 성채는 순백색.

거기에 순금으로 각인된 태양교의 문양이 일정 간격으로 그려져 있어 신성함을 더해줬다.

"……후우. 저 개미 떼 같은 게 전부 줄이란 말이지."

태양교이 본단은 순례를 도는 이들의 최종 목적지이자, 주민들도 기도를 올리러 오는 곳. 심지어 유저조차 이곳에서 헬릭에게 기도를 올려야 사제, 성기사로의 전직이 완료되었다.

당연히 성채 입장을 위한 줄은 여태껏 본 적 없을 정도로 길었다.

'지난번에 왔을 때보다 더 길어진 것 같은데? 이제는 본단에 들어가려면 못해도 열 시간은 기다려야겠어.'

옅은 한숨을 내쉬며 줄에 참가한 카이는 사도의 진정한 힘에 대해 생각했다.

'교황을 만나면 태양의 사제가 지닌 힘을 온전하게 사용할 수 있겠지.'

더군다나 반쪽짜리였던 직업이 완벽해지는 만큼, 새로운 칭호도 얻게 될 것이다.

'최초의 신화 등급 플레이어 칭호를 주겠지.'

모르긴 몰라도, 부익부 빈익빈이 두드러지는 이 게임이니 그 효과만큼은 발군일 터.

'그뿐만이 아니라 새로운 스킬도 잔뜩 생겨날 거야.'

어찌됐든 지금보다 전투력이 확연히 올라갈 수밖에 없다는 뜻이었다.

하지만 카이는 그 사실에 큰 감흥을 느끼지 못했다.

'지금도 랭킹 1위인데 뭐…… 없어서 나쁠 건 없다. 이 정도 수준이지.'

현재 카이는 반쪽짜리 성능의 직업으로도 랭킹 1위를 찍은 상태. 결과만 보면 쉽게 보이지만 과정까지 쳐다보면 절대 쉽지 않은 길이었다.

'아무튼 본단 방문이 끝나면 흑탑으로 찾아가서 코로나님에게 장비를 건네받고…… 아! 그 뒤에는 강민구 지부장이 말한 침공 이벤트가 열리는구나.'

카이는 턱을 쓰다듬었다.

'본래라면 침공 이벤트에서 검은 벌의 이미지를 바닥까지 끌어내리려고 했는데…….'

이미 그들의 이미지는 시궁창에 처박힌 상태.

그뿐만이 아니었다. 검은 벌이 10대 길드의 자리에서 내려오는 순간, 길드원들은 빠르게 길드를 탈퇴했다.

그들이 침몰하는 배의 최후를 함께해 줄 정도의 사이는 아니었으니까.

'이제 제법 상황이 바뀌었지.'

자신의 이름값이 강남의 땅값마냥 치솟고, 견제하는 세력도 늘어났다.

게다가…….

"후우."

카이는 큼직한 두 손으로 지친 표정의 얼굴을 세수하듯 쓸어 넘겼다.

'도전자들 때문에 미치겠네.'

몸을 부르르 떤 카이는 쓰고 있는 후드를 더욱 깊숙하게 눌러썼다.

현재는 랭킹 2위로 밀려난 유하린. 근래에 그녀에게 도전장을 내놓는 이들은 거의 없었다.

그야 유하린은 랭킹 1위를 몇 달이나 수호한 챔피언이었으니까.

그녀를 잡고 명성을 올리려는 이들은 진작 도전하고, 패배했으며, 나가떨어졌다.

'그리고 유하린에게 도전하는 이들의 숫자는 그리 많지도 않았어. 첫 등장부터 압도적인 포스를 지니고 있었으니까. 연어가 강물을 거슬러 올라가듯, 랭킹표를 손쉽게 역주행해 버

렸지.'

하지만 카이는 아니었다.

첫 동영상의 언노운은 모든 방면에서 서툴러 보였으니까.

'그야 유하린과 비교하면 내가 만만히 보이는 게 무리는 아니지만……'

커뮤니티에 등록된 랭커들의 도전장만 수백여 개.

물론 그들 중에서 순수하게 명성을 좇는 이들은 몇 없을 것이다.

'대부분은 다른 10대 길드 놈들에게 사주를 받은 거겠지.'

만약 그들 중 누군가가 성공하면, 10대 길드 입장에서는 엄청난 이득이다.

겨우 돈 몇 푼으로 랭킹 1위의 플레이어를 사흘 동안 접속하지 못하게 만들 수 있으니까.

'뮬딘 교의 암살자들에 이어 랭커들의 도전이라……'

카이라는 얼굴을 드러낸 것이 후회될 정도였다.

'이래서 부모님이 함부로 얼굴 팔고 다니지 말라고 하셨구나.'

들어서 손해 볼 것이 없는 부모님의 말씀.

그 와중에도 줄은 점점 줄어들었다.

'이 정도 속도라면 7시간 후면 들어갈 수 있을지도.'

카이가 긍정적인 생각으로 앞줄을 쳐다보던 그때.

다그닥, 다그닥.

"비켜라, 비켜!"

한 대의 마차가 줄을 스쳐 성채의 입구 쪽으로 다가갔다.

카이는 그 모습에 코웃음을 쳤다.

'어딜 가나 저런 놈들은 있구나. 하지만 안타깝게도 여긴 태양교의 본단.'

몇 달 전, 아니, 이제 게임 시간으로는 2년이 넘어가는 시간이지만 그때도 저런 이들이 있었다.

바로 본인의 신분을 앞세워 줄을 서지 않으려는 자들이다.

'하지만 모두 입구 컷을 당했지.'

태양교의 성지인 라피스 성채를 넘으려면 기다란 줄을 기다리며 헬릭에게 그 경건한 마음을 보여야 한다는 것이 이유였다.

그것이 이 지루하고 긴 줄이 '증명의 길'이라는 되도 않는 호칭으로 불리는 이유이기도 했다.

'저 마차를 탄 사람이 누군지는 몰라도 본단 방문이 처음인 모양이야. 제법 창피하겠어.'

피식 웃음을 지은 카이가 신경을 끄려던 찰나. 그는 믿을 수 없는 장면을 목격했다.

마차가 제지를 받지 않고 라피스의 성채를 넘어간 것!

"무, 무슨?"

깜짝 놀란 카이는 함께 줄을 서고 있던 사제에게 질문했다.

"저기. 형제님. 저들은 대체 누구길래 라피스의 성채를 저리 쉽게 넘을 수 있습니까? 제가 알기로 증명의 길을 건너지 않은 이들은 절대 입구를 들어갈 수 없는데……."

그 질문을 받은 사제는 쓴웃음을 지으며 물었다.

"형제님은 본단을 방문하는 게 얼마 만이십니까?"

"거의 이 년 만입니다."

"역시…… 그렇다면 모를 만하겠네요. 그 시간 동안…… 음. 변화가 좀 있었습니다."

"변화라면?"

그는 주변을 슬쩍 둘러보더니 조용한 목소리로 속삭였다.

"현재 태양교를 이끌고 계신 알버트 교황 성하가 실권을 잃었다는 소문이 일 년 전부터 신도들 사이에서 은밀히 퍼지기 시작했습니다."

"설마요. 그런 말도 안 되는 일은 절대……."

"하지만. 절대라는 것은 없더군요."

사제는 한 손으로 라피스의 성채를 가리키며 말을 이었다.

"지난 일 년간 태양교의 성세는 말도 안 되게 강해졌지요. 그 이유가 무엇인지 아십니까?"

"그야……."

카이는 당연히 유저, 그러니까 플레이어들 때문이라고 생각했다.

유저들이 퀘스트를 통해 태양교의 임무를 수행하고, 뮬딘 교의 뒤를 추적하기 시작했으니까.

'하지만 그게 아니라는 말인가?'

찌푸린 카이의 얼굴은 사제의 말이 이어질수록 더욱 일그러졌다.

"예전에도 부패한 신관들은 얼마든지 있었습니다. 하지만 그들이 대놓고 활약하는 일은 없었지요."

"지금 꼴을 보면 대놓고 활약하는 것 같습니다만."

"예. 교황 성하의 권력이 줄어든 자리를 두 명의 추기경과 대주교들이 차지했으니까요."

"하지만 추기경은 새롭게 선출된 교황이 선출하는 이들 아닙니까? 모두 교황 성하의 수족들일 텐데……."

"맞습니다. 과거에는 그랬지요."

"과거에는?"

카이가 눈썹을 꿈틀거리며 묻자, 사제가 당차게 고개를 끄덕였다.

"예. 당시 그들은 일개 주교였고, 기적적인 표 뒤집기로 교황의 자리에 오른 알버트 성하에 의해 추기경이 되었지요. 그것이 벌써 12년 전의 이야기입니다."

12년. 강과 산의 모습이 바뀌기에도 충분한 시간이다. 사람의 마음 정도는 수백 번도 더 바뀔 수 있는 시간.

"처음에는 그들도 추기경의 자리에 걸맞은 훌륭한 모습을 보여주었습니다. 하지만…… 권력이 주는 달콤함을 거부하지는 못했나 봅니다."

"……그들의 뒤를 봐주고 있는 이들은 누구입니까? 추기경과 대주교들만으로는 수백만 신자들의 지지를 받는 알버트 교황을 뒷방으로 밀어낼 수 없었을 겁니다."

"제가 그걸 알고 있다면 얼마나 좋겠습니까."

허탈한 미소를 지은 사제는 고개를 절레절레 흔들었다.

"많은 사람들이 말합니다. 헬릭께서는 자신의 어린 양들이 감당할 수 있을 정도의 시련만을 내려주신다고."

"으음……."

자신의 과거를 떠올리던 카이가 어깨를 으쓱거렸다.

"뭐, 제가 멀쩡히 살아 있는걸 보면 그런 것 같기도 하고요."

"……하아, 부럽습니다. 솔직히 요즘 저는 너무 지쳐요. 저뿐만이 아니라, 진정한 믿음으로 헬릭을 대하는 일반적인 신도들은 날이 갈수록 지쳐 가는 중입니다. 정말로 저희가 이 시련을 감당할 수 있을 것이라 생각했다면…… 헬릭께서는 저희를 너무 과대평가하고 있는 것이 분명합니다."

"신도들끼리 모여서 투서를 날려보는 건 어떻습니까?"

카이의 질문에 사제는 어깨를 들썩거리며 웃었다.

"하하, 투서요? 의도는 좋지요. 하지만 투서를 쓴다 한들 대체 누구에게 날린단 말입니까? 두 개의 제국과 두 개의 왕국이 신성 왕국 라피스의 우방국을 자처하고 있습니다. 그들을 상대할 힘이라도 있지 않는 이상, 이 체제를 뒤엎고칠 수는 없습니다."

"……."

말을 마친 사제는 상처 입은 표정을 지으며 고개를 푹 숙였다.

그 모습에 아무런 말도 하지 못한 카이는 혼란스러운 머리를 정리했다.

'헬릭은 왜 이 모습을 그냥 방치해 두는 거지?'

그는 신이다. 자신을 믿는 사제와 성기사들에게 아낌없이 신성력이라는 힘을 내려줄 수 있는 신.

당연히 그 힘 또한 말도 안 되게 강력할 터였다.

'헬릭의 여린 감수성을 생각하면 이런 말도 안 되는 상황을 좋아할 리는 없어.'

오히려 누구보다도 슬퍼할 것이 분명하다.

그런데 왜 이 꼴을 지켜보기만 하는 걸까.

카이가 어지러운 생각을 이어갈 때, 마침내 기나긴 줄이 끝났다.

"일반 사제를 증명하는 패이군요. 카이님. 본단의 방문은 2년 만이구요. 들어가십시오."

카이는 입구를 지키는 성기사에게 전직 시 건네받은 패를 돌려받았다.

처음 전직을 하면 받게 되는, 라피스에 존재하는 패 중에서 가장 낮은 등급의 패. 아마 교황을 알현하면 더 높은 등급의 패로 바꿔줄 것이 분명했다.

그럼에도 불구하고 카이는 곧장 교황을 찾아가지 않았다.

'신성 왕국 라피스. 2년 전에 나에게 신선한 충격을 줬던 장소.'

자신처럼 보상이 좋아서 선행을 하는 것이 아니라 마음에서 우러나오는 순수한 선행을 일삼는 자들이 모여 있던 곳이었다.

"내 두 눈으로 똑똑히 확인해야겠어."

부디 자신이 실망하는 일이 없기를.

부디 자신이 동경하던 이 도시가 부패하지 않았기를.

함께 줄을 섰던 사제가 무언가 잘못 알고 있던 것이기를.

차갑게 내려앉은 카이의 눈동자가 그리 갈망했다.

2년 전 전직을 위해 라피스를 방문한 카이는 감탄했다.

'신성하고 청렴한 도시다.'

태양교 헬릭의 이름 아래에 모인 순수한 신도와 사제, 성기사들. 그들은 자신이 믿는 신의 이름에 누가 될 만한 행동을 일체 하지 않았다.

서로서로 도왔으며, 배려했고, 신뢰했다.

비록 대도시 크기의 왕국이었지만, 그 안에 흘러넘치는 밝은 기운과 인정만큼은 다른 왕국들의 수도에서도 볼 수 없는 모습이었다.

'음. 겉보기에는 지난번과 다를 바가 없어 보이는데…….'

무장을 한 채 질서정연하게 도시를 돌아다니는 성기사단.

사제복을 입고 태양교의 구절을 읽으며 헬릭의 가르침을 배우는 거리의 사제들.

그들의 모습을 지켜보던 카이는 조금이지만 안도감을 느꼈다.

'생각보다 부패가 심한 건 아닐지도…….'

만약 일반 사제들에게까지 영향을 미칠 정도로 태양교의 본단이 부패했다면, 손 쓸 겨를도 없었을 것이다.

'거리는 아직 여전해.'

한참이나 도시를 둘러보던 카이가 고개를 끄덕이며 확신을 내렸다.

아직까지 라피스에 거주하는 대부분의 사제들은 타인에게 친절했으며, 배려심이 깊었다.

"그렇다면 바로 들어가 봐야겠지."

이어서 카이가 당당한 걸음으로 방문한 곳은 태양교의 본단. 굳이 태양교의 신자가 아닐지라도 누구나 방문할 수 있는 장소였다.

'음? 여기는 살짝 분위기가…….'

다르다.

그 사실을 느낀 카이의 인상이 살짝 찡그려졌다.

'예전에도 이곳의 분위기가 가볍지는 않았어. 하지만 그건 예의를 갖췄기 때문이지.'

헬릭의 안방이나 다름없는 이곳에서 소란을 피울 사람은 없기 때문이다.

그 때문에 태양교의 본단은 매우 조용했다.

그건 오늘도 마찬가지였지만…….

'분위기까지 무거워. 예전에는 이러지 않았어.'

날카로운 눈으로 주변을 훑어보던 카이에게 사제 하나가 다가왔다.

"형제님은 이곳이 처음…… 일 리는 없겠군요. 모험가시지요?"

"예, 그렇습니다만."

카이의 대답에 사제는 자애로운 미소를 지으며 조그마한 통을 내밀었다.

"그렇군요. 형제님의 앞날을 태양이 비추기를."

물끄러미 통을 쳐다보던 카이가 물었다.

"저기, 이 통은 뭡니까……?"

"헌금 통입니다. 헬릭님을 향한 형제님의 신앙심을 증명해 주십시오."

"……"

헌금이란 신에 대한 믿음을 표현할 수 있는 하나의 수단일 뿐, 절대 강요되어선 안 된다.

'예전에 방문했을 때도 이런 식의 강요는 없었어.'

카이는 인상을 찌푸리는 대신, 도리어 활짝 미소를 지으며 물었다.

"지난번에 왔을 때랑은 조금 다른 것 같네요. 무조건 내야 하는 건가요?"

"하하, 형제님. 태양신의 가르침을 대륙에 널리 퍼뜨리는 데에는 막대한 자금이 필요합니다. 엎친 데 덮친 격으로 최근 몬스터들이 기승을 부리니 사람들을 보호하기 위해 더 큰돈이 필요하게 되었지요."

"……그런가요."

지나가는 개도 안 믿을 이유다.

하지만 얌전히 고개를 끄덕인 카이는 1골드를 꺼내 헌금함에 넣었다.

"부디 태양교의 앞날에 번영이 있기를."

"아! 믿음의 증명에 감사드립니다. 모험가님의 앞날에도 영광이 함께하기를."

용무를 마친 사제는 다시 느긋한 걸음걸이로 다음 타깃에게 떠났다.

그 모습을 가만히 바라보던 카이는 고개를 흔들었다.

'이런 말도 안 되는 시스템은 적어도 헬릭이 원하는 바는 아닐 거야.'

자신은 어느 정도 경제적인 여유가 있다지만, 이곳을 방문하는 모든 신자가 그런 것은 아니다. 오히려 배가 고프고 가난한 이들이 헬릭의 자비를 바라고 방문하는 경우도 많다.

'예전에는 태양교에서 소박한 식사와 여비, 숙식 자리를 내어주고, 정착할 수 있는 마을을 주선해 주었는데……'

"어허! 여기가 감히 어디라고 들어오십니까!"

아쉽게도 그 또한 과거의 이야기인 모양.

카이는 소란이 일어난 곳으로 이동했다.

그곳은 예배실로 들어가는 넓은 복도였는데, 초라한 행색의 남자가 바닥에 쓰러져 있었다.

그 남자를 오만한 눈으로 깔보는 것은 다름 아닌 태양교의 고위 사제. 누더기를 입고 있던 남자는 고위 사제의 바짓단을 잡으며 빌었다.

"사, 사제님. 제발 기도만…… 기도 한 번만 하게 해주십시오……!"

"기도?"

고개를 절레절레 흔든 고위 사제는 발을 뒤로 빼며 그의 손길을 뿌리쳤다.

"죄송하지만 헬릭께서는 염치없는 분의 기도를 들으실 만큼 한가하지 않으시답니다."

"하지만 헬릭께서는 태양과 자비의 신이잖습니까……."

"아아, 자비."

고위 사제가 미소를 지으며 품속에서 동전 주머니를 꺼냈다.

"그래요. 그분께서는 몹시 자비롭습니다. 당신 같은 분에게도 베풀라고 가르쳐주셨거든요."

짤그랑, 짤그랑!

은화가 바닥을 두드릴 때마다 누더기 사내의 두 눈에서 굵은 물방울이 줄줄 흘러내렸다.

"제 딸아이가…… 딸아이가 아픕니다! 사제 분의 지원은 바라지도 않으니 제발 예배실에 한 번만 들어가게 해주십시오. 예전에는 아무 문제 없었잖습니까! 대체 왜 지금은……!"

"그건 예전 아니겠습니까."

고위 사제는 남자의 눈물에도 눈 하나 깜짝하지 않은 채 말을 이었다.

"사람이란 현재를 살아가는 존재 아닌가요."

"제발…… 제발 한 번만……."

"끌고 나가세요. 신성한 태양교의 본단에 믿음이 부족한 이가 발을 들였습니다."

그의 명령에 주변 성기사 몇 명이 머뭇거렸다.

그 모습을 쳐다보던 고위 사제가 재미있다는 표정을 지으며 물었다.

"당신들, 믿음이 부족하군요?"

"아, 아닙니다."

"……밖으로 모시겠습니다."

그의 눈길을 받은 성기사 두 명이 누더기 사내를 조심스럽게 부축하며 밖으로 끌고 나갔다.

"쯧, 별 거지 같은 것들이 신성한 곳에 꾸역꾸역 밀려오는군요."

혀를 차며 중얼거린 고위 사제는 그 말을 끝으로 복도의 반대편으로 사라졌다.

그 모습을 가만히 쳐다보던 카이가 조용히 입을 열었다.

"체란티아."

-불렀나?

동시에 카이의 등 뒤에서 나타나는 반투명한 인영. 2미터의 신장을 자랑하는, 사제보다는 야차를 닮은 사나운 인상의 사내였다.

"대체 어쩌다가 이 지경이 된 걸까요, 태양교."

-뭐, 이곳도 사람 사는 곳이니까.

"놀라거나 분노하지 않으시네요."

-내가 살아 있던 때만 해도 이런 일이 두 번 정도 일어났지.

한 번 정도 뒤집어주면 또 몇십 년 동안은 부패 없이 잘 굴러가니 너무 걱정하지 말게.

"하……."

악은 아무리 박박 문질러도 사라지지 않는 때라도 되는 걸까.

카이가 허탈한 웃음을 터뜨리자, 체란티아가 은근한 목소리로 물었다.

-뭐, 그대가 원한다면 무시할 수도 있는 일이고. 헬릭께서도 이와 같은 일을 묵인하고 계시지 않나? 이건 인간계의 일이니 온전히 자네에게 달려 있다네.

"그렇죠. 솔직히 저와는 아무런 상관도 없는 일이긴 한데……."

자신은 헌금을 낼 돈도 있고, 때문에 기도도 언제든지 할 수 있다.

하지만.

툭, 툭.

자신의 관자놀이와 심장을 차례대로 찌른 카이가 입을 열었다.

"여기랑 여기가 너무 뜨겁네요. 금방이라도 터질 것처럼요."

-화라도 난 것인가?

"화……?"

잠시 멍한 표정을 짓던 카이가 고개를 갸웃거렸다.

"글쎄요. 화라기보다는…… 그냥 이 상황 자체가 마음에 안

듭니다. 왜 약자를 보호해야 할 이들이 앞장서서 약자를 괴롭히는 겁니까?"

-시미즈는 열심히 부정했지만, 나는 그것이야말로 인간의 본질이라고 본다.

"성악설을 말하는 겁니까?"

-그 정도까지는 아니야, 설마 인간이 태어나면서부터 악하겠나? 다만…… 권력과 명성을 손에 넣은 인간은 확실히 사고 방식 자체가 달라지게 되어 있다.

"체란티아도 그랬나요?"

-아니, 만약 그랬다면 내가 사도가 되는 일도 없었겠지. 항상 기억해라. 사도의 길은 그 무엇보다 숭고하며, 청렴해야 한다.

"숭고, 청렴인가요."

-떠올려 보게. 자네가 사제의 맹세를 하던 순간을.

"사제의 맹세……."

가만히 눈을 감은 카이는, 자신이 이곳에서 전직을 하던 순간을 떠올렸다.

'비록 전직을 하기 위해 형식상 외운 문구이긴 하지만…….'

카이가 낮게 중얼거렸다.

"사제란 항상 청렴결백해야 하며, 당신의 가르침에 따라 약자를 위하고, 당신의 힘으로 악을 멸하며 약자들을 지켜내야 한다."

-잘 아는군.

씨익, 입 꼬리를 올려 호쾌한 미소를 지어 보인 체란티아가 물었다.

-그럼 이제 어찌할 생각인가? 이곳은 라피스. 아무리 썩었다고는 해도, 천 년의 역사를 자랑하는 신성 왕국이다.

"용의 몸통이 아무리 길다 한들 머리가 잘리는데 안 죽고 배기겠습니까."

카이의 왼쪽 소매에서 기분 좋은 쇳소리가 흘러나왔다.

차르륵, 차르르륵.

교황 알버트. 그는 태양교의 32대 교황이자, 현존하는 태양교 최고 직급의 사제였다.

하지만 그의 찬란한 명성과는 달리, 얼굴에는 수심이 가득했다.

"아아, 죽어서 헬릭님을 뵐 낯이 없구나. 어쩌다가 일이 이렇게까지 되었을꼬."

모든 것은 자신의 방심과 믿었던 추기경들의 배신 때문이었다.

"몰리온과 버나드…… 그들이 이렇게까지 변했을 줄이야."

물론 그들의 변화를 미처 알아내지 못한 자신의 잘못이 컸다. 그들은 젊었을 때 신의 말씀을 세상에 널리 퍼뜨리자는 생각 하나로 뭉친 사람들이었다.

때문에 자신이 교황의 자리에 선출되었을 때, 아무런 고민 없이 그들에게 추기경의 직위를 맡겼다.

'그것이 벌써 10년 전이군. 그리고…… 2년 전부터 두 사람이 조금씩 변했다.'

처음에는 뜬구름을 잡는 것처럼, 안 좋은 소문들이 퍼지기 시작했다. 뇌물을 받고 성기사단을 파견해 줬다거나, 영지에 축복을 내려줬다는 유언비어들이었다.

'하지만 나는 믿지 않았지.'

수십 년을 함께해온 친우들이었다. 그들의 굳센 믿음을 잘 알고 있는 알버트였기에, 그들을 의심하지 않았다.

그다음은 헌금의 강요였다. 알버트는 강력하게 반발했지만, 추기경들도 물러서지 않았다.

'뮬딘 교를 상대하려면 성기사들을 더욱 육성해야 한다고. 그를 위한 자금이 필요하다고 했었지.'

하지만 추가적으로 육성된 성기사들의 수는 그리 많지 않았다.

그때야 알버트는 사태의 심각성을 깨달았다.

'두 사람은 현재 제정신이 아니다.'

마치 악덕 영주가 영지민들을 상대로 미친 듯이 세금을 뽑아먹는 것처럼, 태양교는 수백만, 아니 대륙에 존재하는 수천만의 신자들을 상대로 돈을 쓸어 담고 있었다.

"이건 옳지 않아. 게다가 그 돈이 모두 어디로 가는지도 확실치 않으니……."

한 가지 확실한 건, 그 돈이 절대 태양교를 위해 쓰이지는 않는다는 것이었다.

애초에 지금은 각 왕국과 제국조차 잠잠한 평화의 시대.

그토록 많은 돈이 필요할 일도, 사건도 없었다.

"후우. 정말 생각하기 싫지만……."

태양교를 내부로부터 무너뜨리고, 흡수할 생각을 할 수 있는 세력. 감히 태양교의 추기경들을 상대로 매력적인 제안을 할 수 있는 곳.

알버트는 그러한 곳이 딱 한 군데밖에 떠오르지 않았다.

"뮬딘……. 아, 아니다. 그럴 리는 없겠지."

뮬딘 교가 돌아왔다는 사실은 그 누구보다도 잘 알고 있었다. 그는 어둠 추적자들의 모든 보고를 거의 실시간으로 받아보고 있었으니까.

'그들이 부활의 징조를 보인 순간부터 교단 내부의 단속을 철저히 했다. 그런데도…….'

사태가 이 지경이 되다니. 뮬딘 교의 무서움을 뼈저리게 느낄 수밖에 없는 상황이었다.

똑똑.

알버트는 누군가의 방문에 입을 열었다.

"누구신가."

"성하, 외출하실 시간이옵니다."

"······외출?"

"예. 추기경 두 분께서 긴히 하실 말씀이 있다고, 모시겠다고 하셨습니다."

방문자의 말에서 무언가 꺼림칙한 기분을 느낀 알버트가 거절했다.

"직접 찾아오라 전해주시게."

"죄송합니다만······."

딸깍.

알버트의 허락도 없이 문을 연 방문자는 혼자가 아니었다.

그의 뒤를 따라 방에 들어온 몇 명의 성기사들이 알버트를 에워쌌다.

"······이게 무슨 의미인가?"

"잠시 실례하겠습니다. 교황 성하. 두 분께서 꼭 모셔오라고 하셔서요. 제가 모시겠습니다."

"처음 보는 얼굴이군. 이름이 어떻게 되시는가?"

알버트의 질문에 깊은 후드를 눌러쓰고 있던 사내가 이를 벗었다.

이어서 자애로운 미소를 지은 사제가 입을 열었다.

"모라크라 불러주시옵소서. 성하."

"⋯⋯."

처음 들어보는 이름에 알버트는 입을 꾹 다물었다.

주변을 둘러본 그는 자신에게 선택권이 없다는 것을 깨닫고, 한숨을 내쉬며 말했다.

"안내하시게."

-어쩔 생각인가?

체란티아가 물었다.

"교황의 빈 자리를 추기경과 주교들이 차지했다고 들었습니다."

짤막하게 대꾸한 카이의 걸음에는 거침이 없었다.

"그러니 그들을 먼저 만나야겠지요."

예배실을 지나친 카이는 곧장 본단의 내부 지역을 향했다.

'우선 그들의 위치부터 알아내야 해. 그렇다면 역시 가장 편한 방법은⋯⋯.'

주위를 둘러보던 카이는 마침 낯익은 통을 들고 있는 사제를 발견했다.

카이가 곧장 그에게 다가가 어깨를 두드렸다.

"이봐요."

"음? 아! 손이 크신 형제님 아니십니까."

헌금통을 들고 있던 사제가 활짝 웃으며 그를 반겼다.

이에 미소로 응답한 카이가 물었다.

"주교와 추기경분들을 만나 뵙고 싶은데, 어디로 가면 됩니까?"

"하하. 죄송합니다만 형제님. 그분들은 만나고 싶다고 일개 사제가 함부로 만날 수 있는 분들이 아니가……."

"친근한 형제."

낮게 중얼거린 카이가 다시 한번 그의 어깨를 두드렸다.

"그러지 말고. 좀 알고 싶다니까."

"으…… 으음. 그건 함부로 말씀드리면 안 되는데……."

헌금통을 들고 있던 사제의 동공이 축소되었다가 확대되기를 반복했다. 친근한 형제 스킬로 호감도가 단번에 50이나 상승했기 때문.

심지어 그전에도 카이는 1골드라는 거금을 헌금으로 넣으며 좋은 이미지를 심어준 상태였다.

"끄응. 사실 저도 말단이라 잘 모릅니다만…… 우선 저 안쪽으로 들어가셔서……."

결국 술술 정보를 말해주는 헌금통 사제.

"좋은 정보 감사합니다."

짤막하게 감사를 전한 카이는 다시 다리를 움직였다.

본단의 안쪽으로 들어갈 때마다 시선은 집중되었지만, 친근한 형제 스킬의 효과 때문인지 그가 그 자리에 있는데 의구심을 표하는 이는 없었다.

만약 그런 이가 있다면……

"형제님, 지금 여기서 뭘 하고 있는 겁니까?"

"태양신을 믿는 놈이 아니라는 소리겠지."

카이는 다짜고짜 자신의 어깨를 붙잡으며 제지하는 남자를 쳐다봤다.

'교단의 성기사.'

신의 검과 창이며, 사제와 신도들을 지킬 방패가 되어야 할 자.

하지만 태양신을 믿지도 않는 자가 성기사의 갑옷을 입고 본단 근무를 서고 있다니.

'코미디도 아니고.'

주위를 스윽 둘러본 카이는 자신이 본단의 깊은 곳까지 들어왔다는 사실을 깨달았다.

그도 그럴 것이, 주변에는 인기척도 쉽게 느껴지지 않으니까.

카이의 고민이 사라진 것도 그때였다.

촤르르륵!

성기사의 손을 뿌리치는 것과 동시에 허공으로 튀어나간 사슬은 그의 목을 휘감았다.

바로 인상을 찡그리며 역정을 내는 성기사.

"감히 신성한 교단에……!"

"그걸 아는 놈이 여기 들어와 있는 거냐."

성기사가 빠르게 검을 뽑으며 휘둘렀지만, 카이는 굳이 피할 생각을 하지 않았다.

촤르르륵.

그저 사슬을 강하게 당길 뿐.

그것만으로도 성기사는 몸의 균형을 잃어버렸고, 당연히 그의 검은 애꿎은 허공을 갈랐다.

"흐읍."

성기사의 몸이 자신에게 끌려오자, 카이는 그 힘을 그대로 이용해 성기사의 멱살을 잡았다.

그리고 이어지는 업어치기!

"커어억……!"

무거운 풀 플레이트 메일을 입은 채로, 중력과 함께 바닥에 처박힌 성기사.

카이는 끙끙거리는 그의 손목을 강하게 밟아 검을 떨어뜨렸다.

"묻는 말에 대답해. 어디 소속이지?"

"……."

눈을 부릅뜬 채 입을 꾹 다물어버린 성기사. 카이가 몇 번이나 질문을 던졌지만, 그는 절대 입을 열지 않았다.

'이런, 언제 다른 사제나 성기사들이 올지 모르는데…….'

조급한 마음에 카이가 인상을 찌푸리는 순간, 여태까지 뒷짐만 지고 있던 체란티아가 지나가듯 말을 꺼냈다.

─내가 고문하는 법을 좀 아는데. 배워보겠나?

"……."

그 말에 어안이 벙벙한 카이가 그런 말을 왜 이제야 하냐는 눈빛을 보냈다.

그 표정을 힐긋 쳐다본 체란티아가 어깨를 살짝 으쓱였다.

─안 물어봤잖나.

"끄흐으윽…… 모라크 님을 따라왔습니다……!"

카이가 살짝 놀란 표정으로 체란티아를 쳐다봤다.

"……이거 효과 죽이네요."

─훗. 내가 왜 안식의 체란티아라고 불렸는지 아는가?

"그야 안식. 환자들을 마음 편히 만들어줘서 그리 불린 것 아닙니까?"

-아닐세. 적들에게 제발 죽여달라고, 제발 안식을 취하게 해달라는 말을 많이 들어서일세.

"……."

생각했던 것보다 훨씬 더 무섭고 흉흉한 수식어.

살짝 질린 표정을 지은 카이는 고개를 흔들며 성기사의 멱살을 흔들었다.

"그래서. 모라크가 누군데?"

"끄윽…… 그, 그건……."

"아직도 버티시겠다?"

성기사가 머뭇거리자 카이는 다시 한번 체란티아의 가르침을 행하려 했다.

하지만 이를 지켜보고 있던 체란티아가 다급히 이를 제지했다.

-잠깐, 멈추게!

"……예? 왜요?"

카이가 못내 아쉬운 표정을 드러내며 묻자, 체란티아는 심각한 표정으로 입을 열었다.

-모라크에 대한 이야기를 하려 하자 눈이 충혈되며 피가 흘러나올 조짐이 보이고 있어. 강력한 금제가 걸린 것이 분명하네.

"금제요?"

─적에게 특정 키워드를 말하려 하면 시전자를 서서히 죽이는 강력한 저주일세. 하지만 이 사악한 술법은 뮬딘 교에서나 쓰던 것이거늘…….

"지금 뮬딘 교라고 하셨습니까?"

카이가 당황한 표정으로 성기사를 쳐다봤다.

'뮬딘 교의 잔당이 태양교 본단에 들어와 있다고?'

헬릭이 이 사실을 알았다면 구름을 치며 울었을 것이다.

'아무래도 뮬딘 교 쪽에서 또 작당 모의를 하고 있는 것 같은데…….'

몰랐다면 모를까. 알게 된 이상 지나칠 수는 없었다.

성기사의 멱살을 끌어당긴 카이가 다정하게 물었다.

"그럼 그 키워드라는 걸 피해서 말해봐. 지금 모라크라는 녀석은 어디에 있지?"

"어디로 가시는가? 몰리온과 버나드는 대체 어디에서 날 기다리고 있는 거지?"

라피스와 점점 멀어져가는 마차에 타고 있던 알버트 교황이 물었다.

이에 모라크는 싱긋 웃으며 그를 안심시켰다.

"추기경분들께서는 긴히 드릴 말씀이 있다고 하셨습니다. 몇 중이나 보안을 요구하는 일이라고 하시며 최대한 인적이 드문 장소를 고르셨습니다."

"대체 무슨 일이기에……."

"가보시면 아실 겁니다. 아, 물론 안전은 걱정하지 마십시오. 성하 직속의 성기사 분들도 따라오고 계시잖습니까."

"……."

모라크의 거듭된 설득에 알버트 교황은 천천히 고개를 끄덕였다.

'갑자기 이게 무슨 일인지…… 하지만 이자, 모라크의 말도 옳다.'

현재 자신과 모라크가 타고 있는 마차의 뒤로는, 외출을 하겠다는 말에 따라붙은 교황 직속 성기사단이 함께하고 있었다.

대대로 교황만을 따르는, 태양교의 정예 성기사단인 태양 기사단. 그뿐만 아니라 태양교의 이단심판관들 다섯도 함께 따라붙어 자신을 보호하는 중이었다.

그러한 전력이 자신을 보호하고 있다는 사실에 절로 안도감이 느껴질 정도.

"오, 거의 다 왔습니다."

그들을 태운 마차는 가파른 절벽 사이로 들어갔다.

절벽과 절벽 사이의 협소한 공간은 마차 두 대 정도가 겨우 들어갈 만큼 좁았다.

"내리시지요. 교황 성하."

"……몰디온과 버나드가 이런 곳에서 날 기다리고 있다는 소리인가?"

"예."

모라크의 설명에 알버트는 고개를 갸웃거리면서 마차에서 내렸다.

'최근 들어 두 사람은 고급스럽고 깨끗한 것만을 추구했다. 그것이 태양교의 경건함을 보여줄 수 있는 방법 중 하나라는 해괴한 논리를 펼치면서 말이지……'

한마디로 이렇게 누추하고 먼지 많은 장소를 좋아할 리는 없다는 소리.

'대체 얼마나 중요한 이야기를 하려고 하기에……'

알버트는 성기사와 이단 심판관들의 보호를 받으며 협곡의 깊은 곳으로 들어갔다.

"어디까지 걸어가야 하나?"

"다 왔습니다."

고개를 돌리며 씨익 미소를 짓는 모라크.

동시에 앞쪽에서 단말마의 비명이 터져 나왔다.

"이 비명 소리는?"

"시작 되었나 보군요."

느긋한 음성을 늘어놓은 모라크는 휘적휘적 걸어나갔다.

"교황 성하. 아무래도 낌새가 이상합니다."

"태양 기사단, 요인 보호 진형을 취한다. 헬릭을 뵙는 한이 있더라도 성하를 지켜라."

"태양이 우리의 앞길을 비추기를!"

이단심판관과 성기사들이 각자의 신성력으로 스스로를 강화하며 알버트를 보호했다.

천천히 모라크를 따라간 그들은 곧이어 커다란 공터에 도착했다.

공터에 들어선 알버트는 주변을 둘러보더니, 깜짝 놀라 소리쳤다.

"아, 아니? 몰리온! 버나드!"

피투성이가 된 두 사람은 겨우 숨만 붙은 채 바닥을 기어 다녔다.

알버트 교황을 알아본 그들이 떨리는 손을 뻗어 도움을 요청했다.

"거어억…… 교, 교황 성하……."

"제발 사, 살려……."

"큭, 뭐래. 배신이나 하는 이교도 새끼들이."

콰드득!

거대한 검이 그대로 몰디온의 등을 관통하며 땅에 박혔고, 몰디온의 몸은 폴리곤이 되어 흩어졌다.

"모, 몰디온!"

아무리 부패한 친우라고는 하나, 그들은 20년이 넘게 동고 동락한 사이였다. 그런 이가 허무하게 죽어 나가자 알버트는 큰 충격을 받았다.

"아아……."

"교황 성하!"

"이익!"

황급히 그를 부축한 성기사들의 앞으로, 뮬딘 교의 성기사들이 걸어 나왔다.

'마, 많다.'

'어떻게 뮬딘 교의 성기사들이 라피스의 근처까지 당도할 수 있던 거지?'

상상조차 하지 못한 뮬딘 교의 군대!

성기사와 이단 심판관들은 침을 꿀꺽 삼키며 주변을 둘러 봤다. 이미 그들이 들어온 통로는 물론, 협곡의 위쪽까지 뮬딘 교의 군세가 가득 들어찬 상황.

모라크는 간지러운지 관자놀이를 긁적이더니 대충 손을 휘 저었다.

"정리하세요. 아, 교황은 놔두고."

그 말 한마디로 그 자리에 있는 수많은 성기사와 이단 심판관들의 운명이 결정되었다.

"감히!"

알버트 교황은 과연 태양교의 교황다운 막대한 신성력을 뿜어내며 그들을 수호했지만…….

"고작 30명밖에 안 되는 인원으로 뭘 어쩌시려고."

모라크의 비웃음과 함께 전달된 조롱은 곧 현실이 되었다.

"아아, 아아……."

알버트 교황은 자신의 가호 아래에서도 하나, 둘 죽어 나가는 헬릭의 어린 양들을 보며 눈물을 흘렸다.

푸욱!

결국 마지막까지 남아 있던 성기사의 가슴에 검이 박히고 쓰러지자, 알버트 교황은 조용히 자리에 주저앉아 이 자리에서 죽은 영혼들을 위해 기도했다.

"헬릭이시여. 부디 당신의 어린 양들을 인도하소서……."

기도를 마친 알버트 교황은 단단한 눈빛을 드러내며 자리에서 일어났다.

그는 죽음 앞에서도 비굴한 모습을 보이지 않고, 오히려 당당한 태도로 입을 열었다.

"뮬딘 교에서 라피스 근처로 군대를 보낼 생각을 하다니. 배짱이 크군."

"아무래도 이쪽 두 사람의 공이 컸⋯⋯ 어이쿠. 맞다. 이젠 한 사람이었지. 하하."

모라크가 버나드의 손을 꾹꾹 밟으며 중얼거렸다.

그 모습에 알버트는 슬픈 표정을 지으며 모라크를 쳐다봤다.

"⋯⋯자네는 처음부터 우리 교단 사람이 아니었군."

"맞아. 그런 이기적이고 위선적인 잡신을 믿을 정도로 비위가 좋지는 못해서."

모라크가 흉신악살 같은 미소를 지으며 입을 열자, 알버트 교황이 그를 꾸짖었다.

"오늘 이 자리에서 나는 죽겠지. 하지만 태양교의 저력은 고작 교황과 추기경들을 죽이는 것으로 끝나지는 않을 것이다. 빛과 정의는 다시 한번 그대들을 이 대륙에서 몰아낼 것이야."

"음? 죽이긴 누가 누굴 죽인다고 그래?"

어이가 없는지 피식 웃음을 터뜨린 모라크는 품속에서 조그마한 목함을 꺼내 열었다.

그곳에 들어 있는 건 마치 칠흑을 덧칠한 것처럼 검게 일렁이는 조그마한 구슬.

"어둠의 정수라는 거다. 우리 교단이 오랜 연구 끝에 만들어낸, 뮬딘 님의 힘과 가장 흡사한 형태의 에너지지."

"으윽⋯⋯ 보기만 해도 괴롭군."

알버트는 어둠의 정수에서 수많은 부정적 감정을 느꼈다.

슬픔, 분노, 고통, 우울, 두려움, 질투……

한 번에 받아들이기에도 힘든 수십 가지의 부정적 감정들이 한데 섞인 모양새.

그것을 보는 것만으로, 알버트 교황의 두 귀와 코에서는 피가 주르륵 흘러내렸다.

"이크, 자극이 너무 강하셨나 보네."

목함을 닫은 모라크가 천천히 알버트 교황에게 다가갔다.

오늘은 베이거스에 이어 두 번째로 뮬딘의 힘을 몸에 받아들일 이가 탄생하는 날.

'게다가 두 번째 적합자는 무려…… 태양교의 교황.'

가장 까다롭고 짜증 나는 세력의 머리를 자신들의 장기말로 쓸 수 있게 되는 것이었다.

"당신은 어둠의 정수를 통해 새로운 존재로 태어나게 될 것입니다. 뮬딘의 충실한 종이자, 그분의 뜻을 행하는 최고의 사제로 말이지요."

"그런……"

자신의 믿음이 타인에 의해 조작되어 버릴 수 있다는 두려움에, 알버트의 동공이 흔들렸다.

'뮬딘 교의 개가 될 바에는, 차라리 내가 스스로……'

자살은 헬릭이 금기하는 행위였지만, 자신은 교황이었다.

절대 뮬딘 교의 장기말로 쓰여서는 안 될 인물.

알버트가 혀를 깨물려는 순간, 모라크의 손이 그의 턱을 우악스럽게 붙잡았다.

모라크는 재미있다는 미소를 지으며 물었다.

"이렇게 좋은 날에 죽으려고 하시면 안 되지요. 교황 성하. 오늘이 무슨 날인지 아십니까?"

턱을 붙잡힌 알버트는 아무런 말도 하지 못했다.

다만, 한 줄기의 음성이 그 질문에 대한 답을 내놓았다.

"네 제삿날."

To Be Continued

마왕성 플레이어

트레샤 퓨전 판타지 장편소설
WISHBOOKS FUSION FANTASY STORY

신들의 전장, 하멜.

집으로 돌아가기 위한 마지막 싸움.

믿었던 동료가 배신했다!

[영혼 이식의 대상을 선택해 주십시오.]

뒤바뀐 운명. 최약의 마왕. 그리고……

"이번에는 좀 다를 거다!"

어둠 속에 날카로운 칼날을 감춘,
마왕성 플레이어의 차가운 복수가 시작된다.